小説 赤い花 下

高橋千恵

E.Aoki

龍鳳書房

扉絵・青木悦子

小説 赤い花

下巻

小説 赤い花 下巻 もくじ

第九章　パリ十六区「エミールオウジェ通り」

凛子は、日本に戻った。

夫の高宮昭二から逃げ、パリを出て小さな町の寂れたホテルに避難したまではよかった。が、滞在が長引き帰国する旅費も足りなくなって窮地に陥っていたところを助けてくれたのが、親兄弟ではなく稲荷山のたつ江伯母だった。泣き付く凛子に一も二もなく頼んだ倍の金額を用立ててくれた。

長野に帰郷した凛子は、真っ先に銀行へと走り貯金を下ろして返済した。


これから、どうしようかしら……。ふるさとに身も心も癒された凛子は、今後の身の振り方を思案していた。そして考えあぐねた末にたどり着いた先が、やはり「再び東京へ行く」ことだった。

こうと決めたらぐずぐずしている凛子ではない。すぐさま行動に移して南青山にこじゃれた一軒家を見つけた。パステルカラーのかわいい快適な１ＤＫの住まいに、最低限の荷物を早速まとめて長野から移り住んだ。

広尾の隣町という地の利もあって散策するにも最適な環境だったが、性分としていつまでものんびりとしてはいられない。

「これからの人生を探しているの」

銀座時代に築き上げたコネクションをフルに活用して片っ端から連絡を入れた。多少のブランクはあっても、かつての「銀座NO1」を放っておくような業界ではない。さまざまな話が舞い込むその中で、航空各社に機内食を提供しているサービス会社からのオファーは魅力的だった。

「ニューヨークで『銀座風』のクラブをオープンさせたいので、その店のママになって欲しい」

世界的大都市を舞台にカムバックを果たす——。再チャレンジする凛子にはこれ以上の条件はなかったが、食指が動いたのは一瞬だった。凛子は誰もが羨むビッグ・チャンスを、惜しげもなくさらっと手放したのだ。

摩天楼の林立するニューヨークには、無機質な印象しか持たなかったし、まったく魅力を感じなかった。かつて渡米した際に抱いたイメージ、それだけを断りの理由に挙げた。仕事それ自体はすごい魅力だった。しかし今の凛子を、ニューヨーク移住に踏み切らせるまでの決定打ではなかった。執着心の欠片もないこうした選択へのプロセスは、いかにも凛子らしかった。

一方でこの一件は、凛子の胸の奥底に沈んでいた潜在意識を刺激した。

本人さえ気付いていなかったフランスへの「未練」を呼び覚ましたのだ。

「もっとパリ生活を満喫したい」欲望がふつふつと湧き上がってくるのが分かった。消化不良の結婚生活は別にしても、パリについてはまだまだ知らないことが多い。

自分一人、貯金を使い果たすまでパリで暮らそう――。

三か月後、凛子は東京を引き払った。

凛子がチェックインしたのは、エッフェル塔近くのアパルトマン形式のホテルだった。部屋には、家具が置いてありキッチンや台所用品も備えられていて、自炊ができるようになっている。

当面このホテルを拠点に、本格的に生活するアパートを探すことにした。

物件探しを始めた凛子の足は、かつて住んでいた16区へと自然に向かっていた。土地勘が誘導するその地番には、今でも「夫」の高宮が住んでいる。見つかってしまう可能性が極めて高いはずだが、不思議なことに凛子自身が気にも留めていなかったのだ。

発見されることへの不安感とか恐怖心とかを含めて、逃げ出してきた高宮の存在が何の〝障壁〟にもならず、凛子は馴染みの区域内に居を構えた。

一か月を二〇万円以内で過ごす「生活設計」を立てた凛子が、最初に取り組んだのがフランス語。日本から持参した参考書を頼りに目指す独学による「必須科目」への再挑戦だ。

野菜、肉、パンなど専門店に買い物に行く。店員と客のやり取りを見聞きして実地で覚えようと懸命に努力した。しかし、こうした試みはそうそう甘くはなかった。参考書は、口の中で籠るような独特のネイティブな発音にはからっきし無力だった。参考書で覚えたと言えるようなものは数字ぐらいだった。

独学に見切りを付けた凛子は「アリアンス・フランセーズ・パリ校」に受講を申し込んだ。パリで始めた新婚生活の中で通えるはずだった約束を高宮に反故にされた、あの憧れのフランス語学校だ。

学生は一クラス二〇人ほど。イタリア、スペイン、中国などさまざまな国の学生の中で、日本人は凛子一人だった。

教科書を忠実に一生懸命勉強した甲斐あって、試験では常にトップクラスに入っていた。だが会話は相変わらず苦手で習得はもたついていた。

文法などは、フランス語と似通っているラテン系言語に比べて日本語は、まったく異質の領域にあり、加えて外国語の勉強の仕方も異なる。

凛子たち日本人は「目から入れて手（書く）に出す」が、彼ら外国人は「耳から入れて口（話す）に出す」という。この違いが如実に凛子のおしゃべりに反映していた。いわゆる「下手」ということだ。

それでも学校通いは楽しく親しい友人たちもできた。その友人たち有志が集まって、ある日ノルマンディー方面の海岸へと海水浴に出掛けた。

ニースでも同じ経験をしたが、こちらの海岸には砂浜があまりない。結構大きな石がゴロゴロしていて、日光浴をするにしても座り心地がひどく悪く、お尻をあっちへこっちへと向きを変えなければならなかった。

すると偶然、ごつごつした石ころの中に「つるっ」とした触り心地の優しい石が一個、まるで探し当てたように手に当たった。

「んっ」。凛子は、水晶玉のような真ん丸な石を拾い上げた。砂浜で宝探しに興じる子どものように宝物を発見して嬉しくなった凛子は、真ん丸ツルツルの〝珍品〟を大事に持ち帰った。「置物にいいかもしれないなぁ」。凛子は洗面所で何だかウキウキしながら石を洗っていると、「コロコロ」と音が聞こえる。何かしら？　謎を解き明かす探偵よろしく石をまじまじと観察した。

探偵の定番アイテム「ルーペ」はなかったが、白い石灰質に取り巻かれたように小さな穴が一箇所だけ開いているのを発見。石の内側は石灰質でその真ん中に丸い小さな石が入っている。

この観察結果から凛子は、石灰質は小さな穴から入った水に溶け、それによってできた空洞の中で丸い小石が「コロコロ」と動いているのだ―と推理した。いずれにしても、自然が作り出したこの〝芸術品〟を生涯の「お守り」にしようと決めた。

凛子は誰にも拘束されることのない、自由な暮らしを心から楽しんでいる。朝、目覚めるとまず一番にラジオをかける。流れてくるのはクラシック音楽だ。

クラシックにはさして興味のない凛子だったが、パリではこうした音楽番組が非常に多く、成り行きで朝のルーティンとして聴くようになっていた。そしてクラシック音楽が、妙に自分を落ち着かせていることを知った凛子は、すっかりその魅力の虜になっていた。

11

パリ市内には、日本人向けの「告知板」というものがある。

あるとき凛子は告知板に「日本の方と友人になりたい」と書き込みがあるのに気が付いた。書き込んでいたのはフランス人の男性だ。

一日も早くフランス語でおしゃべりできる日を待ち望んでいた凛子は、個人レッスンの格好の先生になる相手だと考えた。すぐに告知板にあった番号に電話をかけて、自宅近くのカフェで会う約束を取り付けた。

フランス人男性は「ミッシェル」と名乗った。

ミッシェルはまだ若く、一年ほど前に田舎からパリに出て来たそうで、「友だちは少ない」

という。おとなしくて真面目という印象を持った凛子は、ほぼ一週間に一度カフェで落ち合うことにして、なるべくフランス語で話すように心掛けた。

古くから日本文化への関心が高いフランスでは、日本映画もすごい人気で上映する映画館は多かった。

ある日、ミッシェルは凛子にこんなことを不思議そうに尋ねた。

「日本の映画を観ると、会社帰りに同僚とお酒を飲むシーンがよくあるけど、日本人にはどうしてそんなにお酒を飲むお金があるの?」

というのも、ミッシェルによるとフランスでは、給料からは税金や社会保険料などがドサッと差し引かれてしまう。残りは年に一度の楽しみ—夏のバカンスに備えて貯金に回す。だから日常的に「外食する余裕などとてもない」そうだ。

そう言われれば凛子にも思い当たる。フランスの男性と食事に行くと、決まってレストランの入り口でメニューと料金を確認するのだ。

凛子はその都度思うのだが、日本人男性の場合このような「男の沽券(こけん)に関わる」行動はまずしないし、女性連れのときなどは特にそうだろう。

パリでの生活が長くなるにつれて、かつて日本で思い描いていた優雅なイメージが、フランス人の現実的な日常といかにかけ離れたものか、凛子には見え始めていた。

社会保障制度の違いと言えばそれまでだが、フランスでは年金制度が充実していることから、高齢になればなるほど豊かな生活を送ることができる。おしゃれなお年寄りが多いのもうなずける。

食事やおしゃれなど豊かな老後の人生を楽しんでいるその一方で、若者の「可処分所得」は極めて少ない。格好つけた革ジャンは父親からのお下がり、首周りのよれたTシャツを始めとして着ている衣服が、若者の経済状況を表している。

また「花の都」「ファッションの都」の象徴と言えば「パリジェンヌ」だが、その若い女性たちのショッピングにはさすがの凛子も舌を巻いた。

例えば、ジャケットを買いたいと思っている女性がいたとする。その彼女がジャケットを購入するまでのプロセスを追うと、このようになる。

まずはウインドーショッピングから始まる。これは洋の東西を問わずショッピングの「入口」だが、買う「出口」に至るまでに要する労力と時間が、日本と比べ半端ないのだ。

ウインドーショッピングをしばらく楽しんだ彼女は、ある店で気に入ったジャケットを見つけた。しかし彼女は、ガラス越しに見ているばかりで店舗内に入ろうとはしない。結局、このときは見ただけで終わる。

でも彼女は、目を付けたジャケットが気になっていた。再び店を訪れた彼女は、今度は店内に入りジャケットを手に取って品定めを始める。布地や値段を確認したり、似合うかどうか鏡の前でファッションショーを演じたりと……。この日も買うまでには至らない。

家に帰った彼女はジャケットを買った場合を想定して、自分が持っているシャツやセーターなどとどう組み合わせるのか、時間をかけて試行錯誤する。そして自分の中でコーディネートが完成する。

店に足を運ぶこと三度、彼女はついにお気に入りのジャケットを購入したのだ。

もちろん裕福な人はこんな手のこんだ買い方はしないが、こうした買い物の仕方が普通なのだという。

だからなのか、と凛子は合点する。こうした環境がフランス女性のファッション感覚を磨き上げているのだと。

街を歩けば、靴や傘などの修理専門店が一軒や二軒はある。物を大切に使う文化が根付き、凛子から見ても生活は質素だ。

一般家庭のテレビは、少しゆとりがあるとカラーだが、まだほとんどが白黒。さらに富裕層になると「ソニー」のカラーテレビといった具合になるそうだ。

あらゆる電化製品に囲まれ、衝動買いに使い捨て等々、大量生産に大量消費が美徳とされている経済大国の日本。フランスとのあまりに大きなギャップにカルチャーショックを感じた凛子は、「本当の豊かさ」について考えさせられていた。

日本から電話があった。

「お前が一人、パリでどんな生活をしているか心配なので、そちらに行くことにしたから」

母の吟だった。私のことが心配……本当に？　凛子は母の本心を疑うと同時に、「私を気遣って来てくれるのならとても嬉しい」と感激すらした。

「パリに来るならね……」と、凛子は二つのことを頼んだ。

こちらは薬がとても高いので、日本で何種類かの薬を買ってきてほしいこと、手軽に写せるカメラを持ってきてもらうことだ。

シャルル・ド・ゴール空港に到着した母を出迎えた凛子は、独り身の新居に案内した。

母は家に着くなり「はい、お土産」と言って、スーツケースから紙袋を取り出した。凛子が手にしたそれは、経由地のアラスカ空港で買ったというサーモンとルビー色の「資生堂」の石鹸一個だった。

あきれ気味に凛子は、日本から持ってきてくれるように頼んでいた薬とカメラのことを尋ねた。

「持って来てくれた？」

「はいよ」

母がスーツケースから取り出したカメラを手にした凛子は、「『手軽に撮れるもの』とは言ったけど、これじゃあまりに簡単過ぎじゃないの」と思ったが、口に出すことはしなかった。たぶん日本で流行っている一万円するかしないかの「簡易カメラ」だろうとの見当は付いた。

こういったカメラのことは差し置いて、凛子が「何よ、これ⁉」と憤慨したのは薬のことだった。「ミヤリサン」が一箱、しかもそれは飲みかけのものだ。

普通に外国にいる娘が「薬が欲しい」と言ったら風邪、解熱、腹痛からはじまる胃腸薬や傷薬とか抗生物質など、考えられるありったけの種類の薬を持って来てくれるのが、親というものじゃないの——。心の中で悪態をついた。

それでも凛子は気を取り直して、二三時間もの長旅で疲れもたまっているだろうからと風呂の用意をした。気持ち良く入ってもらうために新しいタオルと石鹸も揃えた。

「りんこぉ〜」。しばらくすると風呂場から母の呼ぶ声がした。

「さっき渡した『資生堂の石鹸』よこして！」

えっ⁉　一瞬間を置いて「石鹸なら、そこに新しいのを用意してあるでしょう」。凛子は風呂場のドア越しに返した。「ちゃんと見てよね」と、責める気持ちを込めて言ったつもりだが、気に留める様子もなく母は叫んだ。

「あの石鹸でないと駄目だから！」

言い出したら絶対に引かない母に凜子は折れた。土産だと渡されたばかりの石鹸を箱のまま、ちょっぴり乱暴に差し出した。

せわしく箱の封を切る音が、凜子の耳に届く。

風呂上がりの母は突然、凜子に向かって「両替してちょうだい」とさっぱりした顔で言った。日本の空港で両替したフランは、もうあまり必要ないから円に替えてくれと言う。

「お前はパリで住んでいるからフランは必要でしょう」。口の中で「一フランが七四円だから……」と計算しながら、母は一方的に請求した。

「私に一二万円ちょうだい」

くしゃくしゃに丸まったままのフランをわしづかみにして、半ば押し付けるように、「早く、早く」と両替をせかす。勢いに押されて検算する間もなく、凜子は日本円で要求された金額を渡した。

旅の疲れから母の吟は早めに寝た。寝静まってから凜子は気になっていた両替を冷静に〝検証〟した。思ったとおり二万円も多く両替させられていた。

「してやられた」と悔やんでみたものの後の祭りだった。

翌日から、凜子に対する母の横暴さは輪を掛ける。

「私の知人の息子がパリにいるの。電話をして迎えに行って、夕食をご馳走しなさい」

そうは言われてもまだパリに不案内の凜子は、アタフタしながらも言い付けどおりにすると、今度はとんでもない〝命令〟が下った。

「イタリア旅行したいから、連れて行きなさい」

ねえ、私のパリでの暮らしが心配だから来たんじゃないの？　そう言いたかったのをグッとこらえたそのとき、凜子の脳裏にかつて母と二人で観光したニースの思い出がよぎった。

新婚旅行に付いてきた母が唐突に「フランスまで来たのだからニースにも行きたい」と言い、高宮の不興を買いながらも母と一緒に行った、あのとてつもなく楽しかった観光旅行がよみがえった。

「イタリア観光かぁ……　行ってもいいかな」

凜子は早速「ミラノ・ベネチア（ベニス）・フィレンツェの旅企画」を旅行会社に申し込んだ。

それでも母に対する不満は、解消するどころか募り続けていた。母が来てからというもの全ての出費が凜子に重くのしかかっていた。

私は「一日幾ら」の節約生活を送っているのよ―と思うとため息が出る。だが、ここでも凛子のお人好しぶりが、お決まりのパターンのように顔を出した。「母とはいつも一緒にいるわけでもないし、たまたまフランスまで来たのだから仕方がないわねぇ」。

凛子と母の吟はミラノ観光を楽しんでいた。

ゴシック様式の大聖堂などがあるドゥオーモ広場や、一九八〇年代の華麗なエマヌエルアーケードなどに二人は目をみはり、ただただ感激した。

が、そんな素晴らしかった一日をすべて台無しにする出来事が、夕食時に〝勃発〟した。あまりに子どもじみたそれは、エマヌエル通りにあるレストランでのオーダーが発端となった。

凛子は「ステーキとスパゲッティ」を迷うことなく頼む。

すると「私はスパゲッティだけでいい」とすかさず言う母は、「お前もステーキはやめて、スパゲッティだけにしなさいよ」。

命令口調で、凛子の注文が気にくわないとばかりの物言いだった。確かに母は肉が嫌いだ。だからといって、食べ物まで強要される覚えはない。

「スパゲッティはね、日本で言えば『ご飯』のようなものなの。だからステーキは『おかず』

として食べるわ」

凛子はムッとして言い返し、母はムキになって「そんなことはいいから、ステーキはやめなさいよ」と強硬に繰り返す。

そして凛子は、腹立ち紛れに〝それを言っちゃあ、お仕舞い〟の一言を繰り出す。

「私がお金を払うのだからいいでしょ！」

売り言葉に買い言葉の応酬はお互いに譲ることなく、気まずい沈黙の中で夕食を済ませた。

母の〝黙秘〟が始まった。ミラノを発つ翌朝のホテルから次の目的地ベネチアまで、それは続いた。

ベネチア観光の当日、母はベッドから出てこなかった。

「観光には行かないよ！」

駄々をこねる子どもみたいな母を説得できなかった凛子は、仕方なく一人で観光に出掛けることにした。返ってくる言葉を期待したわけでもないが、一方通行の「行ってきます」の声掛けをして部屋を出た。

しばらく街を歩いていると若い男性が声を掛けて来た。

「観光ですか?　ベニスを案内します」

たどたどしい英語だったが、誠実そうな話し方に好印象を持った凛子に拒否する理由はなかった。

憧れのサン・マルコ広場、狭い道路にゴンドラが行き交う水路の風情、運河沿いの壮麗な宮殿や教会の史跡などに魅了された。凛子が「何よりだった」と感じたのは、これらの観光名所を案内の若い男性と共に巡り、独り観光ではなかったということ。しかも念願のゴンドラに乗ることができたし、アカデミア美術館では鑑賞した写実的な絵画に引き込まれた。

そんな最中でも、ホテルに残した独りぼっちの母が気掛かりだった凛子は、昼食に何種類かのパンを買って届けた。

翌日、フィレンツェに向かう飛行機内でも、母と娘はまた再び行き違う。

「もう旅行なんかしたくないわ」。沈黙を破って久し振りに聞く母の言葉がこれだった。

「フィレンツェに着いたら、そのままパリに帰るようにしてちょうだい!」。害した機嫌そのままに切り出した。

ちょっ、ちょっと待って! 凛子は焦った。フィレンツェは以前からどうしても観光してみたかった街で、今回どこよりも楽しみにしていた。しかも旅費は、すでに全額が支払済みとなっている。

空港でキャンセルしても費用は戻ってこない。その上、新たにパリ行きの航空券を買わなければならない。

「これじゃあ丸損だよ、いい加減にしてよ！」。込み上げる憤りを抑えて宥(なだ)めてもすかしても、頑(かたくな)な母に翻意などまるで望めなかった。

いくら腹が立ったからといっても、フィレンツェの空港で突き放して母を一人ぼっちにするわけにもいかなかった。旅行会社に電話を入れ、悔やみつつキャンセルを伝えた。

散々な思いを引きずってパリに戻った凜子に、母は最後の一撃を見舞った。

「もう帰国するから、明日の便に変更してちょうだい！」

本来なら日本に帰るのは四日も先の話だが、もう凜子には抗う気力は残っていなかった。

翌日、ともあれ母を空港で見送った。

凜子は疲れ果てていた。母の帰国で緊張の糸が切れてベッドにどっと倒れ込んだ。鉛の板を巻いたように腰の辺りが重くなり、そのうちに動けないほどの激痛が襲った。

それから約一か月、ほぼ寝たきりの状態が続いた。

ストレスが凜子の心身を極限まで責め立てていたのだ。母吟の存在がこれほどまでにストレスの元凶となっていたのかと、改めて思い知らされた。

この日、銀行に支店長との面会を待つ凜子の姿があった。

フランスで暮らしたい凛子にとって、買い物などの日常生活を送る上で「小切手帳」は、必要不可欠なアイテムだった。しかし小切手帳は、旅行者には通常発行しないそうで、旅行者として入国している凛子も例外ではなかった。

こうした重大な不便を解消するため、「小切手帳を出してほしい」と自宅近くの銀行支店に、直談判するため乗り込んでいたのだ。

凛子と対面した中年男性の支店長は、もみ上げから顎の下まで髭を蓄えていた。いかにも銀行マンといった如才なさで、片言のフランス語を〝総動員〟して訴える凛子の話に最後まで丁寧に耳を傾けた。

そして思案する様子も見せず、にこやかな表情のままの支店長は、いともたやすく小切手帳の発行を認めてくれた。まるで最初から何の問題もなかったような対応に拍子抜けしながら手続きを済ませた。

ホッとする凛子の心の隙を見透かすように、支店長は誘い水を向けた。

「近いうちに夕食をご一緒しましょう」

パリには友人も少ないし、相手は銀行支店長で身元はしっかりしているから心配はない、と自分を納得させた凛子は、素直に誘いを受けた。

約束の日がやってきた。

凛子は心のどこかに、外国人とのアバンチュールを楽しもうとする気持ちがあった。きっと支店長もそんな下心を潜ませて誘ったのかもしれない。こうした勝手な〝読み〟が凛子をいっそう大胆にさせていた。

夕食後に向かったパブでしたたかに酔い、支店長の厚い胸に顔を埋めてダンスした。

「ホテルに行こう」。支店長のささやきが耳元をくすぐる。

予想どおりの展開になった。それを望む凛子にも十分その気があったはずだったが、甘い誘いを受けた瞬間、なぜかスイッチが切り替わってしまった。酔いはいっぺんに冷め、凛子を現実に引き戻した。

フランス人男性にはアブノーマルな人が多いとかいう、かつて耳にした話が突如として頭に浮かんだ。「密室でアブノーマルな行為を強要されたらどうしよう」。正気に戻った凛子を恐怖心が襲う。

「ノン、ジュヌブッパ」。私は行きたくない、と言った。

今すぐ帰りたいと言い張る凛子をタクシーで家まで送った支店長だったが、諦めてはいなかった。家の前で降りた凛子になおもしつこく迫った。

仮にも流暢とは言えないフランス語で繰り返し断っていた凛子は、あまりの執拗さに堪忍袋の緒が切れた。瞬間、大声で日本語が飛び出していた。

「さっきから『嫌だって』言ってるじゃないの！」

凛子の剣幕に日本語が分からない支店長でも一瞬ひるみ、にやけた顔が物凄い形相に一変。そして何事か捨て台詞を吐き、それでも足りずに門扉を蹴って立ち去った。

態度に沿った表情と言葉のニュアンスが合致したとき、フランス語より日本語の方が何倍も効果的なことを実感した。凛子は母国語の〝威力〟にあらためて感心しながら、反省することも忘れなかった。

凛子は最初からそのつもりで支店長を受け入れていた。ところが途中で凛子自身、突然の豹変。成り行きからすれば支店長の激怒も頷けないこともない。

非は私の方にあったのかもしれない……。ただ凛子にはこれとは別に、今夜の騒動で変に引っかかることがあった。

支店長が口にした「夕食代も自分が払ったではないか」のひと言だ。

女性を誘った側の男性が食事代を支払うことがごく普通の日本では、聞きなれない言葉だけに耳に残った凛子は、こんな連想をしてしまうのだ。

―フランスでは、女性が男性に食事をご馳走になれば、「男女の関係」を受け入れたことになってしまうのかしら？

それからというもの、一緒に食事をしている男女を目にするたびに凛子は、こうした関係性を〝邪推〟するようになってしまった。

イタリア旅行から二か月が過ぎたある日、ノックの音がしてドアを開けた凛子は思わず目を丸くした。先のイタリア旅行でベニスを案内してくれた男子学生が、そこに立っていたのだ。慌てた凛子は、学生をドアの外で待たせたまま急いで身支度して、近所のカフェへと連れて行った。

すると学生は興奮していたのだろう。椅子に座るやいなやテーブルの上に、汚れたジーンズのポケットからつかみ出した札やコインを無造作に広げた。

「あなたに会うためにアルバイトをしてお金を貯めた。僕と一緒にベニスに行こう」と、まくし立てるように凛子に迫った。

観光案内はもちろん空港まで送ってくれるなど、ベニスでは最後まで親切にしてくれた生真面目な好青年だった。だから凛子は別れ際に文通でもしようかなと思い立ち、軽い気持ちで住所、氏名を書いたメモを手渡していた。

凛子のこうした奔放で無防備な態度が、しばしば誤解を招くのだ。

一にも二にも「アモーレ」、息をするたびに女性の手をなで、髪に触れては口説く――と揶揄される情熱的なイタリア男性を目の前に、凛子は「ベニスに行く気はない」と真剣に説得し、何度も断った。凛子の固い意志を前に学生はついに諦め、カフェからそのまま失意のうちに帰国した。

凛子は男性不信の「トラウマ」になりかけていた。

イタリア人学生の一件があってから数日後、あのときと同じようにドアがノックされた。凛子はとっさに「あの学生だ！」と思った。まだイタリアに帰らずパリにいて、諦めきれずに押し掛けて来たのではないか。早とちりにも居留守を決め込んだ。

だが、ドアは数時間おいてノック、またノックという状況が繰り返し続く。凛子は観念した。居留守を使ってばかりでは埒が明かない。彼のためを思うなら、もう一度はっきり拒否しなければならない。

ドアを開けると、果たしてそこにいたのは、何と「夫」の高宮昭二だった。意表を突かれ狼狽した凛子は、反射的にドアを閉めようとした。次の瞬間、伸びてきた高宮の手に腕をつかまれた。

半開きのドアの隙間から聞こえてきたのは、凛子の腕をつかむ強い握力とは裏腹に、「ごめんね、ごめんね」と懇願する弱々しい高宮の言葉だった。「僕が悪かった。話だけでもいいから聞いてほしい」。

不思議と凛子に恐怖心はなかった。ただあったのは、見つかってしまったことに対する悔いだけ。だが、久しぶりに向き合った高宮の表情は、出会ったころのあの優しさに溢れていた。

これを境に高宮と食事する凛子の姿が、たびたび見られるようになる。

「今までのことは許してほしい。もう一度、一緒にやり直してくれないだろうか」と高宮は、ひたすら頭を下げ続けた。「これからは毎月の生活費をちゃんと渡すし、お詫びの印に好きな物を何でも買ってあげるから」。

凛子の気持ちは次第に傾き始める。そこには一途なまでの高宮の姿が戻っていた。観光地巡りなど行きたい所にはどこへでも連れて行ってくれた。欲しいと言えばどれほど高価な物でも買ってくれた。

この気前の良さとは裏腹に、生活費をはじめ異常なほど金銭にシビアなところは、以前聞いたことがある「先妻に一億円を持ち逃げされた」苦い過去が、トラウマになっているのかもしれない。それに「屋根裏部屋に閉じ込められる」恐怖にしても、冷静に考えれば「監禁」なんてできるはずもないのだ。

今となれば、あれほど嫌悪していた高宮を凛子は擁護している。

心から好きだった仕事を辞めてまで高宮と結婚したというのに、「逃げ出した私に、我慢が足りなかったのではないか」。これまでを顧みる凛子は、非は自分にあるように思えてきていた。

「ちゃんと約束を守るなら、もう一度戻ります」。凛子は応じたのだ。

喜び勇む高宮は、「赤い『ベンツ』のスポーツカーが欲しい」と、早速ねだる凛子の贅沢をすぐさま叶えた。

見せつけるように誠意を示す高宮に、凛子は「こんなにも高価な物を買ってまで、私に戻ってきてほしいのかしら⁉」と、こそばゆい気持ちになった。

高宮の元に戻った日、娘の華は凛子を見るなり駆け寄って抱き付いた。「帰って来てくれて嬉しい」と涙を流した。

その夜、高宮が風呂に入り、居間で凛子と二人だけになった華は、この機会を待っていたかのように思いも寄らないことを口にした。

「ねえ、ママ。出て行くときに、なぜ私を連れて行ってくれなかったの？」

「ごめんね」。凛子は、母親として娘に責められている気がして困惑した。

「華ちゃんはまだ十六歳だから、ママが連れて出ることはできなかったのよ」

後付けの言い訳みたいで後ろめたかったが、未成年者を連れ出すことで「誘拐」になる恐れが頭をかすめていたのだ。

「この次に家を出るときは絶対、華も一緒に連れてってね」

彼女の真意を測りかねる凛子は、返答に窮した。


凛子は、要領を得たパリの暮らしを謳歌していた。

セーヌ川沿いのペリフェリックやパリ郊外を赤いベンツのスポーツカーで飛ばし、週末にはクリニャンクールの「ノミの市」に出掛けて骨董品の家具やシャンデリアなどを買った。アパートでは、自分で家具の修復に取り組み、フランス語の勉強や習字の練習に励んだ。

ある晴れた日だった。外国映画にはしばしば登場するシーンだが、日本ではまず考えられない出来事に遭遇した。

例によって凛子は、赤いベンツでシャンゼリゼ通りを気持ち良く運転していた。すると、手を挙げて「止まれ」の合図をしている警察官が目に入った。中央分離帯へと誘導している。警察官の指示に従った凛子は、提示を求められた免許証とパスポートを差し出しながら尋ねた。どうして停止させられたのか、と。

見た目で三十歳代の警察官は「シートベルトの着用違反ですよ」と〝容疑〟を告げる。凛子は違反切符を覚悟し、この違反事案は一件落着を見るはずだった。警察官が次の言葉を口にしなければ……。

「今晩、暇ですか?」

えっ、何を言っているの? 言葉の意味も深く考えずに反射的に答えた。

「友人と約束があるの」

すると警察官は、青い違反切符の束を凛子の目の前にちらつかせながら「それって、違反切符が欲しいということだね」と、意地悪そうに凛子の表情をうかがう。

あっ、そういうことだったの⁉ 警察官の意図をようやく察した凛子は、慌てて手を横に振る。

「いや、切符なんて欲しくないわ!」

「それじゃあ、今晩、時間をつくれるかい?」

この押し問答、勝敗は最初から見えている。

「分かったわ。じゃあ、今晩どこへ行けばいいの?」。凛子の負けだ。

したり顔の警察官は、自分の勤務が終わる時間と待ち合わせ場所を説明して、こう付け加えるのも忘れなかった。

「もしも、あなたが来なかったら住所も電話番号も分かっているから、違反切符を送りますよ」

「心配しないで。約束はちゃんと守るわよ」の言葉とは裏腹の思惑を抱く凛子は、警察官に疑いをもたれないように、もっともらしく尋ねた。

「あなたの名前は?」

「ジョン」と名乗った警察官に、凛子は免許証とパスポートを返してもらった。フランスじゃ、こんなふざけたことが当たり前なのかしらと、憤懣やるかたない独り言をブツブツ言いながら現場を後にした。

いかにも誘いに応じた振りをした凛子は、もちろん約束の場所には行かなかった。それでも「違反切符」は送られてこなかったものの、凛子はしばらくの間、シャンゼリゼ通りを避けて車を運転する羽目になった。


あるとき、高宮は何を思ったのか、自ら言い出して凛子の車を「ベンツ」から赤い「ポルシェ」に買い替えてくれたほか、金銀銅三色の編み込み型ブレスレットをプレゼントしてくれた。

狐につままれたようなサプライズが関係するのかどうかは別にして、それからしばらく経ったころに高宮は、突然「仕事ができたから」と言って、なぜか娘の華を伴ってアメリカに向かった。

その数日後、今度は「しばらくアメリカに滞在するから、サンフランシスコにアパートを借りた」との連絡が入った。細かい事情は何も知らされていない凛子だったが、その後もアメリカにいる高宮からは、小切手で毎月の生活費が滞りなくちゃんと送られてきた。その後

フランスで日本の知人と出会うという偶然はめったにないが、銀座時代の馴染み客から、あらかじめ連絡をもらって落ち合う機会があった。自動車メーカーに勤める部長の男性で、長野の「くらぶ凛子」にも東京から何度も足を運び、母の吟とも一緒に山菜取りに出掛ける仲でもあった。

積もる話の腰を折り、部長は言いにくそうに切り出した。

「以前、お母様に『パリにいる凛子さんに』と、お見舞いを託したのですがね……」

口ごもりながら話してくれたところによると、パリで暮らす凛子を「心配だから」と言って、母が訪ねて来る少し前のことだ。

部長に連絡を取った母は、「凛子がパリで大変な苦労をしているんです」と話したという。これを聞いた部長は「それでは」と気遣い、パリに発つ母に東京で会い、「凛子さんに」と言って一〇万円の見舞金を託したそうだ。

しかしその後も一向に連絡はなく、今もこうして会っていても凛子から何の話もないので「一応、お尋ねしてみた」というのだ。

凛子は愕然とした。要するに母は、私の知らないところで私を〝エサ〟に心配を装って、古い馴染み客から一〇万円をせしめ、何食わぬ顔でフランスに来たのだ。

世の中に、これほど浅ましい母親がいるのだろうか。

凛子は、母のあまりのあざとさに顔を背けたいほどの嫌悪感に襲われた。

「私、このままでいいのかしら？」

良いことも悪いこともない交ぜの気ままなパリの生活に、凛子は疑問を抱き始めていた。高宮が娘と共にアメリカに行ってからというもの、特に自らに問い掛けることが目立って多くなった。

自由も時間もたっぷりある環境に甘んじて、仕事も何もしていない実体のなさと、世間から置いていかれてしまうという焦燥感が絡み合うネガティブな感情が、時折顔を覗かせて凛子を不安定にさせていた。

そんな折、凛子は文通相手のうち長野の大手建設会社に勤めるさる部長から、一通の手紙を受け取った。

その末尾に書かれた一節に凛子は光明を見出した。

「あなたには素晴らしい五感が全て備わっている。あなたは何をしても素晴らしい結果を残せる人なので、自信をもって日々お過ごしください」

凛子は救われたと思った。「迷い」は消えて「勇気と自信」が湧いてきた。


ある日、長野の「くらぶ凛子」の顔なじみ客だったフーズ会社社長から、「今度パリのシャンゼリゼ通りにパン屋を出したい」と言ってきた。

日本の「アンパン」をメインに売り出すのが会社の基本戦略だと聞かされ、早速出店準備に関わることになった凛子は、ふっと〝ダジャレ〟が浮かんだ。

「フランス人が『アンパン』を一つ買うときは『アン・アンパン』と言うのね」。軽口をたたきながら店舗のレイアウトを構想し、どんなパンがパリっ子たちに受けるのか、心弾ませながら頭をひねった。

こうした時間は、今や〝有閑マダム〟の凛子にとって、とても有意義で充実したものとなっていた。

また、サンジェルマンで素晴らしく洗練されたスナックを経営している日本企業のパリ支店長夫人と知り合いになるなど、社交範囲を徐々に広げる凛子は、しばしば多くの人たちを招いて「ホームパーティー」を開いた。

まさに凛子は、エミールオウジェ通りの豪邸に優雅にして自由に暮らす「一人住まいのマダム」だった。

夢のパリに来て、これまでで一番楽しく幸せな時間……凛子は満ち足りた感慨にふけっていた。

第十章　アメリカの元妻

窓外にはパノラマサイズでサンフランシスコ湾、金融街の高層ビル群が広がる。その全景を見下ろすマンションに凛子はいる。

夫の高宮昭二からサンフランシスコに来るように、と言われたのは数日前のことだ。高宮がアメリカで何をしているのかも分からず気になりだしていた凛子は、これ幸いとばかりに渡米した。

マンションは、チャイナタウンの坂をずっと上った途中、あの有名な高級ホテル「フェアモント」の少し手前にある。

２ＬＤＫの部屋からの景観は素晴らしかったが、凛子は着いてからすぐにあることに気が付いた。

「華ちゃんはどこにいるの？」。姿を見せないことが気になって、高宮に尋ねたのだ。

高宮の説明によると、彼女はこちらに来て高校に入り、今は寄宿舎生活をしているという。パリにいたときはほとんど学校に通っていなかっただけに、それを聞いた安ど感で凛子の頬は自然と緩(ゆる)んだ。

凛子は高宮と「第二の新婚旅行」を楽しむように豪勢な日々を送った。

マンションの坂を下るとそこはチャイナタウンだ。ショッピングを楽しみ有名な寿司店やステーキアハウスに出入りして、港の「フィッシャーマンズワーフ」に通い詰めてエビ、カニなどの魚介類を嫌と言うほど食べるのが日課となる。

ゴールデンゲートブリッジを渡った所にある「サーサリート」という小さな町がお気に入りの凛子は、一方でマンション近くのサンフランシスコで一番高級というフェアモントホテルのスイートルームで連泊するのも、セレブ気分を満喫できて好きだった。

もちろんドライブも楽しんだ。購入した大型4WD車を駆ってサンタクルーズ、さらにはロサンゼルスまで南下した。また、射撃場では拳銃を初体験した。

刺激的な行動範囲は日ごとに拡大しているさなかに、どちらから言うともなく「せっかくアメリカにいるのだから、この機会に……」と二人は、南米旅行に出掛けることになった。


最初に向かった先はブラジル北西部にあるマナウス。アマゾンの熱帯雨林探索の主要な出発点でアマゾナス州の州都だ。

凛子がまず驚いたのが、日本企業の看板がやたらと目についたことだ。聞いたところでは、電機産業を中心とした企業進出もさることながら日本からの移民も多く、現在に至るまで主に農業を営んでいるそうだ。

滞在するホテルは、うっそうとしたジャングルの中にあって広大な敷地と規模を誇っていた。世界各国からの観光客や旅行者が訪れるこのグローバルなホテルは、凛子のためにあつらえたように思い掛けない出会いを、立て続けに演出する舞台ともなった。

ホテル内のレストランで食事をしていると、日本語と一緒にざわざわと四、五〇人の中年男性が入って来た。

気にも留めずにいたのだが、しばらくすると中年男性の集団の中から三人ほどが凛子のテーブルまで来て、「失礼ですが……」と言葉を掛けた。

多分、地球の裏側まで来て日本人らしき東洋人を見掛けて親近感を抱いたのだろう、と推測した凛子は次の言葉を待った。

「あなたは日本人ですか？　それとも中国人ですか？」

図星だった。凛子は構えることもなく用意していたように「日本人ですよ」と椅子に座ったまま返した。凛子は、言葉から少し遅れて男性たちを見上げた。と、その中の一人の胸に「長野県」と書かれたバッジが目に飛び込んできた。

「長野県の人ですか？」

今度は、すかさず聞いた凛子がびっくりする番だった。その男性は「日本全国の社会党県議の代表団」の一員として来ていて、「私は長野県の代表です」と言ったのだ。あとの二人は九州の代表だという。

思わぬ偶然に、凛子は興奮気味に告げた。

「私も長野県なんですよ！」

信州人の郷土愛は殊更強いと言われる。そうした県民性に突き動かされたのかどうかは分からないが、長野県民同士の親密度は飛躍的に増し、二人の九州出身県議を置き去りに、会話は一気に活気づいた。

「長野県のどこ？」

「私の母は、長野市で『割烹陣屋』という料理屋をやっています」

「何だ！『陣屋』の母ちゃんの娘か⁉」

県議は目を丸くして叫び、「県議会のたびに長野市に泊まって『陣屋』にはしょっちゅう行っているし、母ちゃんのこともよく知ってるよ」と、弾むように言った。

この奇遇の〝興奮の輪〟は、離れたテーブルから様子をうかがっていた県議団にも波紋のように広がり、いつしか凛子は全国の社会党県議たちに取り込まれ大騒ぎとなった。

そして「あした帰国する」という県議団は、日本から持参した和食のインスタント食品をヤマほど凛子の部屋に届けてくれた。

凛子は早速、この「奇跡」を手紙に書いた。

翌日、県議団を空港まで見送った凛子は「母に届けて欲しい」と言って、手紙を長野代表の県議に託した。

アマゾン川の遊覧では、川の真ん中にある船のガソリンスタンドを珍しがり、ガイド付きでアマゾン川支流奥深くまでボートで探検、スリルとターザン気分を味わった。茶色のソリモエンス川と黒褐色のネグロ川の合流点では、流れが混ざらず縞模様を織りなす大きなうねりに感動した。

アマゾンの醍醐味を堪能した高宮と凜子夫妻は、次の目的地で首都のブラジリアに向かうため、飛行機に搭乗して離陸を待っていた。国内線の小さなプロペラ機だった。

突然、機内がざわついた雰囲気になった。乗務員が凜子たちの前に座る最前列の乗客たちを、後ろの方へと促し始める。

するとその直後、身なりのきちっとした七、八人の男性たちが現れたと思ったら、立派な軍服姿の男性を中心に数人が、空けられたばかりのシートにドカッと座った。

乗務員のあまりに丁寧な対応に、ただ者ではないと踏んで様子を見守っていた凜子は、あっと声を上げげそうになった。その一行にマナウスのホテルに宿泊していたときから「気になっていた」一人の男性が交じっていたからだ。

数日前のこと、凜子はホテルのレストランで食事をしている一人の男性に目を奪われた。「ジャン＝ポール・ベルモンド⁉」。そこにいたのは、あの世界的なフランスの大物俳優……「ホンモノ？」か「ニセモノ？」か――。俄然、好奇心をそそられた凛子は〝真贋の目〟を凝らして、食事もそっちのけで観察を開始する。

ちらちらと、あの有名俳優に視線を走らせること数十分。

「ちょっと違うかなぁ〜」。胸をときめかせた興奮も次第に収まってきて、「やっぱり『ジャン＝ポール・ベルモンド』じゃないな」と、凛子はため息交じりに小さく落胆した。それでも、なお諦めきれずに「でも、似ているなあ」。何度もつぶやいた。

その「そっくりさん」と今、機内で〝再会〟している。とても偉そうな軍服姿の取り巻きの一員として乗り込んで来たのだ。

ホンモノではなかったのに、どういうわけか凛子は、自分の席から二つ斜め後ろに座った「そっくりさん」が気になってしょうがない。あまりじろじろ見ては失礼だと思えば思うほど、首振り人形のように何回も後ろを振り返ってしまう。幸か不幸か、目が一回合った。

そうこうしているうちにプロペラ機はブラジリアの空港に到着した。

他の乗客と一緒にタラップを下りる。ギラギラした太陽にさらされた滑走路のコンクリートから強い照り返しが、駐機場からターミナルへと歩いて向かう凛子たちを出迎えた。

すると、先に飛行機を降りた「そっくりさん」一行から一人のブラジル人男性がやって来て、「あなた方は観光ですか？」と確認した上で、凛子に妙な質問を投げ掛けた。

「あなたのお隣は、お父さんですか?」

凛子はおかしさをこらえながら英語で答えた。

「観光です。一緒にいるのは主人です」

すると男性は、例の「そっくりさん」の所に走って戻り何事か話していたが、今度は「そっくりさん」本人が来て名刺を差し出した。

「私は大統領の『第一秘書』です」

えっ⁉ えぇ〜。驚く凛子と高宮をよそに言葉を続けた。

「遠く日本からの観光とのことですが、お泊りのホテルまでお送りします。空港ターミナル内でお待ちください。車を回します」

一方的に話し終えると、返事も聞かずに足早に立ち去った。

そうだとすれば、あの軍服を着ていた人がブラジルの大統領で、凄いことに大統領側近の「そっくりさん」が、私のことを気に留めていてくれたのだ。

その上、このような待遇までしてくれる……なんて。

凛子は、ぶしつけにじろじろ見ていたことを棚に上げてちょっぴりうぬぼれてみたものの、狐につままれたような事の展開には頭が追い付かなかった。

困惑気味の二人は、約束どおり空港からホテルまで送ってもらった。さらに夕食にも招待されたが、それは高宮の方から丁重に辞退した。

ブラジリアは、一九六〇年にリオデジャネイロから遷都した計画都市だ。飛行機の翼を広げた形の近代的な都市で、未来的なデザインの国会議事堂や大聖堂などの主要な建物が、機首部分や両翼部分に配置されている。

後の一九八七年「世界遺産」に登録されるほどの都市だけに、観光には事欠かなかった。中でも到着の翌日、見学に行った国会議事堂で議会答弁に立つ大統領、議場内でそれを見守るジャン＝ポール・ベルモンドの「そっくりさん」こと第一秘書の姿に、言い知れぬ感動を覚えた。

アルゼンチンとの国境にある世界一の大瀑布「イグアスの滝」では、息をのむスケールに圧倒された。

無意識のうちにビーチで「イパネマの娘」を口ずさんだリオデジャネイロ。

そして、コルコバードの「キリスト像」の遥か上空に「ＵＦＯ」を見る。ホテルのベランダから確かにそれを〝目撃〟したのだ。

雲ひとつなく吸い込まれるような紺碧の空に、星より少し大き目の物体が光っていた。

何だろう？　凛子は目を凝らして正体を探り始めた。

周りにヒモは？　……付いていない。

本当に浮いて？　……いる。

だとしたら……　あれはＵＦＯ。

〝三段論法〟の成立だ。

「パパ、来て！『ＵＦＯ』が見えているの！」。凛子は興奮して叫んだ。

高宮を呼びに部屋に入り再び二人がベランダに戻った時には、すでに光る物体は消えていた。あるのは、何事もなかったようにそびえ立つキリスト像だけだった。

それでも凛子は、今でも「私は絶対に『ＵＦＯ』を見た」と信じている。

南米最後となった訪問地、アルゼンチンのブエノスアイレス。

長い串に刺して焼いた何種類もの肉塊を切り分けてくれる「シュラスコ」という料理では、目の前の皿に次から次へと積み上がる肉の量とおいしさに嬉しくなって思わず笑ってしまった。

妖しい魅力のアルゼンチンタンゴに酔いしれる夜を満喫した。

南米旅行は、凛子が高宮との夫婦生活で初めて味わう幸福感に満ち溢れたものだった。

あるひとつの疑問を除けば……の話。

高宮は「仕事ができたから」と言ってアメリカに来たはずだ。

しかし凛子が見る限りパリにいるのとまったく変わらず、仕事をしている様子はこれっぽっちもうかがえなかった。また、なぜサンフランシスコなのかも謎だった。

凛子の頭からは「?」が片時も離れなかった。

そんな折、高宮からカリフォルニアの州都サクラメントに行こうと誘われた。だが行楽の雰囲気はなく、高宮はただひたすらにある目的だけのために車を走らせた。そうして直行した先は、入り口脇の壁に描かれた葛飾北斎風の大きな波の絵が出迎える「YOUKO」という日本レストランだった。

テーブルに着くと、待ち構えていたように女性オーナーが挨拶にきた。

高宮とは親密な間柄らしいことは凛子にも察しはついたが、二人の会話を聞いているうちに意外な関係が明らかになった。

オーナーの女性は、高宮の昔別れた「元妻」だったのだ。

高宮は、凛子を「今の妻」だと紹介した。

かつて高宮は、元妻と一緒に東京で自動車部品を取り扱う会社を経営していた。折からのマイカーブームに乗って業績はうなぎ上り。プライベートでも三人の子宝に恵まれるなど順風満帆だった。

ところが元妻は、何の前触れもなく銀行から一億円を引き出し、次男だけを連れて家を出た。以来、行方知らず。

高宮のショックは大きく、仕事に対する意欲も失せて残された二人の子どもと共に日本を離れ、パリに移住した。以前、パリに訪ねて来た長男は、オーストリア人女性とすでに結婚していた。そして華は、ここアメリカで高校に通い、寄宿舎生活をしていると聞かされている。

高宮は、銀行に預金している利子で生活をしているようだが、預金額や利子の多寡、一か月をどれほどの生活費で暮らしているのかなど、凛子は何も聞かされていない。

凛子に家計を一切任せず、生活費はおろか小遣いも渡さないという徹底した高宮の金銭管理は、ひょっとして、この元妻による「一億円持ち逃げ事件」を引きずっていると思えるのだ。こうした高宮のトラウマが形を変えて現在の妻、凛子への疑心とか警戒心とかになって表れているとも推測している。

で、持ち逃げされた一億円を取り戻すため、高宮はあらゆるツテを使い、高くアンテナを張って、どんなに小さい情報でも逃すまいと八方手を尽くして、元妻の行方を探していた。

以上が、凛子が何となく把握している高宮に関する情報の全てだ。

そうして、元妻の居所をようやくここに見つけて、アメリカはサンフランシスコまで追いかけて来たということなのか？　これといった確証はなかったものの凛子は独り合点する。と、同時に自分の置かれた微妙な立場を思い、これからどうなるのか事の展開をまた思い、頭の中はカオス状態だった。

事態は、そんな凛子を一層戸惑わせる方向へと展開する。

レストランを出て高宮の運転で向かったのは、ちょっとした郊外の住宅街。広い芝生の前庭がある典型的なアメリカン住宅が建ち並ぶ、その一角に元妻の自宅があった。

何部屋もある広い住宅で、高宮と凛子は「ゲストルーム」とみられるバス付の一部屋を与えられた。

元妻の家に入ったときから、凛子にはある直感が働いていた。

高宮はすでに何回も来ている――。言動から勝手知った趣がありありと見て取れたが、しばらく様子をうかがうことに決めた凛子は、何も言わなかった。

しかし夕刻、追い打ちをかけるような衝撃波が凛子を襲った。

「ただいまぁ」。聞き覚えのある声とともに帰って来たのは、何と華だった。

高宮は確か、「寄宿舎生活を送っている」と話していた。なのに、その華が今ここで実の母親と暮らしていたのだ。

心の動揺を隠しながら凛子は、仕事から戻った次男を加えた五人で食卓を囲んだ。

高宮は凛子をあくまで「妻」として扱い、華は華で悪びれることもなく「ママ、ママ」

と言い、元妻は親しげに「凛子さん」と呼ぶ。

けれども凛子は、場違いの赤の他人が一人「高宮ファミリー」に紛れ込んだ居心地の悪さを感じていた。そこは、明らかに高宮を筆頭に彼の家族が集う夕食の団欒だった。「私一人を除いて……」。凛子はあまりの疎外感に食事も喉を通らなかった。

その夜、凛子は我慢できずに高宮を問い質した。

「一体、どうなっているの?」

凛子が予想したとおり高宮は、元妻の居所を見つけ「お金を取り戻そう」とアメリカに来た。しかし想定外のことが起きる。

それは連れて来た華が、母親と会ったことで「パリには戻りたくない」と言い出したのだ。そこで仕方なく母親と一緒に住まわせることにしたという。

元妻は一億円を元手に、昼間に訪れた日本レストランを開業したそうだ。

現在、経営も軌道に乗りうまくいっていることから、「一億円を返してくれるよう、話し合いをしている」と高宮は説明した。

元妻宅には一泊して、翌日サンフランシスコに戻った。

凛子は、落差の激しいジェットコースターに乗ったような胸のムカつきを感じ続けていた。南米旅行に始まった夢のような「非日常」の頂点から一気に突き落とされる、衝撃を伴う元妻の〝出現〟だった。

見たところ高宮と元妻の間で、お金の催促も返済の話もしている様子はなく、もちろん醜く争った形跡など微塵もなかった。加えて華が母親の元で暮らしているとなれば、高宮が足しげく通うようになっても不思議はない。さらに元妻は、未だに再婚はしていないようだ。

「今妻」と「元妻」――絵に描いたような「三角関係」に、多少のざわつきはあったとしても嫌悪感はさほど湧かなかった。高宮への愛情が薄いと言われれば、そのとおりなのかもしれない。

凛子との夫婦生活は、これまでと変わらず続けていきたい――とする高宮だったが、一緒に暮らす時間の経過とともに、以前のように生活費は一銭たりも渡してくれなくなった。

第十一章　「赤ちゃんができたの」

昭和五十六年の正月を故郷の長野で迎えることにした凜子は、サンフランシスコから帰国する途中に立ち寄ったハワイで、しばらくの間、夫の高宮昭二と滞在していた。

高宮は「見送り」と称して一緒に来ていたのだが、凜子がハワイを発った後はアメリカには戻らず、フランスに帰ることにしていた。そして凜子が日本にいる間は「ずっとパリを離れない」と〝宣言〟した。

サクラメントにいる「元妻」のことで、「今妻」に要らぬ心配を掛けたくないとする夫の気遣い……とも、言えた。

年が明けて日本から戻る際にもハワイで落ち合うことを約束して、「夫妻」は日本、フランスへと別々に飛び立った。

長野市にある凜子の実家「割烹陣屋」は、長野県庁や市一番の歓楽街の権堂とも近い立地ながら、およそ酔客がふらふらするような環境にはない閑静な場所にある。

店舗に面した道路を車で走ると見落としてしまうほどだが、政財界はもとより各界の名士や著名人が県内外から訪れる一流の料亭として知られている。

弟の雄一は、今でこそ「割烹陣屋」の跡取りとして頑張っているが、母の吟と姉の凜子によって「あなたが店を継ぎなさい」と一方的に、当時働いていた茨城県から半ば強制的に連れ戻された経緯がある。

長野に戻った当初、母が建てたマンションの一室に家賃を払って住んでいたが、結婚を契機にパリに移住した凛子の住居—母から購入した住居兼店舗、いわゆる「陣屋」の三階の4LDKに居候している。

母は「あなたは姉なのだから無料で貸してあげなさい」と凛子には言ったくせに、自分のマンションに住まわせていたときは息子の雄一からちゃんと家賃を取っていた。

しかも、凛子がパリの高宮から〝脱出〟を図りお金を借りようとした際、逆に母が「実印を送って寄こせ」と要求したのは、この三階住居を弟名義に書き換えるためだった。

そのとき母に代わって電話口で、「世の中、そんなに甘いものじゃないよ」と送金をすげなく断ったのは、紛れもなく弟の雄一だ。

凛子は長野に滞在中そんな弟と、いわく付きの三階住居をシェアし〝同居〟する羽目になった。さらに今回の帰郷は、来春三月に挙式するその弟の結婚式に出席するためでもあり、それまでは長野にいるつもりだった。

しかし、実家には凛子の安らぎの空間はなく、あったのは、またしても母親とのいさかいだった。それも里帰りした日の初っ端から始まるのだ。

サンフランシスコを発つとき高宮は気を使い、それぞれの家族に土産を買って持たせてくれた。

凛子は真っ先に「グッチ」のハンドバッグを〝披露〟した。包みを開いて破顔する母を見たくて、ワクワクしながら……。

ところが、である。開口一番、母から飛び出したのは、

「こんな物、要らないわ！」

言葉と同時にバッグや箱、包装紙が、凛子のひざ元に広がった。何と母が投げ返したのだ。土産を選ぶ凛子は、いつも「いの一番」に母の喜ぶ顔を思い浮かべる。今回もあれこれと思い悩んだ末に、最も高価な物を高宮に買ってもらった。

なのに、何が気に食わないというのか。凛子はあまりの仕打ちにいたたまれなくなって、放り投げられたバッグを抱えて母の部屋を飛び出した。

こんなとき、決まって助けてくれるのが母吟の姉たつ江伯母が嫁ぐ「稲荷山の家」だが、そこの長女で屋代に住むいとこの光恵姉に、凛子は泣きながら電話した。すぐに夫の矩幸が迎えに来てくれて、凛子は光恵姉の家にしばらく滞在した。

グッチのハンドバッグには、後日談がある。

凛子は、母に突っ返された一部始終を話した上で光恵姉にあげたのだが、いつの日か、たまたま訪れた母にバッグを見つけられてしまう。経緯がどのようなものであろうとも、

黙っている母ではない。「これは凛子が私のために買ってきたものだから、私の物だよ」と臆面もなく言うと、光恵姉からバッグを取り上げて持ち帰ったという。

それなら、どうしてあのとき喜んで受け取ってくれなかったのか—。娘の凛子でさえ理解不能な母吟が、さらに深い闇に閉ざされていく気がした。

弟、雄一の結婚式は、招待者三〇〇人を数え「割烹陣屋」の跡取りとして、面目をほどこす盛大なものとなった。

これを見届けた凛子は、さっさとハワイで高宮と合流してサンフランシスコに戻った。しばらくは元妻が暮らすサクラメントを行き来していた高宮は、ある日突然「パリに帰ろう」と言い出し、サンフランシスコのマンションを引き払った。

が、元妻とどのような話でどのようになったのか、凛子には知るよしもなかった。

翌、昭和五十七年の年明けも、凛子は日本で迎えた。

東京や長野で年末年始を過ごし、荷物をまとめ、あしたパリに帰るというその日、凛子の体は異変を訴えた。

突然の発熱、これは経験からして分かる。それにしてもこれはどうしたことだろう、言いようもない気持ちの悪さはこれまで覚えがないものだった。とてもパリに戻るどころの話ではない。

「妊娠ではないですか⁉」

一般外来で行った病院で診察した医者が言った。漠然とだが予感めいていた凛子は、この見立てを冷静に受け止めて産婦人科へと向かった。

「おめでとうございます」。妊娠が確認された。

現在「四か月」──。ところが喜ぶ間もなく、「流産の恐れがある」と告げられ、そのまま入院することになってしまった。

「あの時に妊娠したんだ」。病室のベッドで無機質な天井を見上げながら凛子は、今も心に残る鮮明な「あの時」に思いを巡らした。高宮を全身で受け止めエクスタシーに達した瞬間〝受胎の神秘〟に触れたことを直感した。

凛子は早速、パリの高宮に告げた。

帰れなくなったことと、そのワケを、声を弾ませて──

「赤ちゃんができたの！」

「すぐ、日本に行くよ！」

受話器を通して、高宮が小躍りして喜ぶ様子が手に取るように分かった。

言葉どおり数日のうちに長野に飛んで来た高宮は、ここ数日、凛子の病室でずっと付き添っている。

凛子の妊娠に大喜びしてパリから駆けつけ、かいがいしく世話をする高宮の優しさは、ふと凛子が「演技なのかしら」と疑いを抱いてしまうほどの労わりようだった。

流産の恐れと酷いつわりを除けば、まあまあ幸せな妊婦だった。

母の吟も病院に顔を見せた。見舞いと称してはいたが、二人の友人と一緒に病室に入って来るなり、「娘がパリから帰ってきたら妊娠が分かり、流産しそうなので入院したのよ」と大声を響かせた。そして周りに憚ることなくしゃべりまくると、ものの三分ほどでさっさと帰ってしまった。

「いつもこんなものよ」。母への諦念を抱く凛子は、さほど腹も立たなかった。

一〇日ほどして凛子は退院した。

長野の自宅で静養し、胎児も体調も安定した凛子はパリに戻った。

夫婦だけの生活が始まると、サンフランシスコや長野で見せたあの優しさが高宮からは消えていた。生活費は相変わらず渡してもらえなかったし、買い物にしても高宮の気分次第といった具合で、以前より一段と気難しさを増している。

凛子にはまったく腑に落ちなかった。あれほどの優しさが一体全体どこへ行ってしまったのだろうか……。ただでさえ身重の体で脆弱になっている精神状態の凛子は、労りの欠片もない高宮の豹変ぶりに戸惑うしかなかった。

加えて引っ掛かっていることがある。アメリカにいる元妻の存在だ。高宮と一緒に元妻に会いに行き、彼女の家で一泊した際に受けた「とても変な感じ」を引きずっていた。

持ち逃げされた一億円を取り戻すために、何年もかけて探し当てたはずだが、取り立てる様子も険悪さもなかった。逆に親密で和やかな家族的雰囲気さえ醸し出していたようにも見えた。

高宮は「そんな関係ではない」と否定し、凛子とは別れたくないと繰り返す。だが、元妻のもとには娘の華もいる。「なあなあ、まあまあで、パリとサンフランシスコを行ったり来たりしているんだろう」。

凛子は疑念を拭えないでいると同時に、わが身に宿った子どもの行く末を案じるようになっていた。

凛子は高宮のことを一種の「欠陥人間」だと思っている。その夫の血を引く子どもに不安を感じていたのだ。

将来、高宮と同じ性格で身勝手な大人になってしまうのではないか、果たしてこの子を産んでも良いのだろうか——。凛子の心は病んでいた。

思い悩んでは逡巡する日々が続き、やがて凜子は苦悶の中で一つの方向性を見出す。

「やはり、私は子どもを産むわ」

子どもが夫のような「性格破綻者」になるかどうかは、私の育て方ひとつに懸かっている。その環境こそが、子どもの人格形成に大事なのではないか。だとすれば、私はこの先、高宮と和やかに穏やかに共に子育てをしていく環境を築かねばならないが、それは可能なのか？

すでに凜子の中で答えは出ている―それは「不可能」と。

これまで独り身の気楽さから家を出たり戻ったりしていた。しかし子どもがいるとなれば、そんな気ままな生活は許されない。高宮といさかいを繰り返しながらの子育ては、絶対にあってはならないことだ。

高宮と別れて、私一人でストレスなく笑顔で育てればいいのだ。凜子の頭の中で「子育て」と「離婚」が交互に点滅し始めた。

「ママ、知り合って間もない人との結婚だそうだが、まさか『パリゴロ』じゃないだろうね。よく調べたのか？」。長野の「くらぶ凜子」の閉店を決めたときに、東京からふらりと一人でやって来た日航商事の海保八郎副社長が言った言葉がよみがえる。「さすが、世界を股に掛ける海保さんだ。よく分かっている」。

あのときは冗談と受け流していたが、今よくよく考えれば高宮は「一種の『パリゴロ』だったのかなあ」と、思えないこともなかった。

サンジェルマンでスナックを経営している友人の草津喜代子が、久しぶりに凛子を訪ねて来た。喜代子はパリでは数少ない日本人の友人の一人で、夫は日本企業のパリ支店に駐在している。

「急に帰国することになったので、凛子さんにスナックを経営してもらいたいの」

喜代子は唐突に言った。話によれば、日本で香水の会社を経営していた夫の父親が亡くなり、その香水会社を夫が引き継ぐことになった。このため、現在勤める会社を辞めて急きょ日本に帰ることになったそうだ。

出産後、落ち着いたらベビーシッターを頼んで仕事に出ようと、離婚を考えていた凛子には、願ったりかなったりの話だった。

スナック経営なら絶対的な自信がある——。心の中で密かに将来設計を目論む凛子は、一人この話を胸の奥底に仕舞い込み、高宮に伝えることは一切なかった。

妊娠中のため、スナックを引き継ぐ時期については「出産後」ということで、喜代子もそれまでは何とかすると言ってくれた。

女手一つで育児をしながら、パリで暮らしていけるメドは立った。

普段は音沙汰のない母の吟から、このところ国際電話が度々かかってくるようになった。話はもっぱら「割烹陣屋」の跡取り、弟の雄一夫婦に関することだった。

「雄一が嫁の幸子に焼きもちを焼いて、しょっちゅう夫婦喧嘩が絶えなくてねえ。雄一にはこの仕事は向いていないようで、困ったものだよ」

結婚して弟夫婦は「割烹陣屋」の跡取りとして、共に割烹で働いている。しかし雄一には、幸子が着物姿でお座敷に出て接待しているのが気に入らず、喧嘩の種になっているらしかった。

電話での話は母の愚痴の類だったが、それも度重なると凛子に期待する意図が口ぶりに透けて見えてくる。もともと母は、凛子に割烹を継がせたがっていた。それが結婚によって思惑は見事に外れてしまい、勤め人の雄一を無理やり引っ張り込んだ経緯がある。

これを知ってか知らずか高宮は、結婚後も凛子に「長野の『割烹陣屋』は、あなたが跡を取ればいいのに。あなたならきっとうまく行くよ。そうすれば？」と執拗に勧めた。

「私が『陣屋』の仕事をするようになったら、あなたとの生活はどうなるの？」

凛子は腹立たしく聞くが、高宮は意に介さず「そうなればパパは、パリと長野を往復するよ」と、シラッとしてうそぶいた。

お金持ちのくせに普段から生活費も渡してくれないで、その上働けとでも言うのか。高宮の言葉が恨めしかった。加えて「ひょっとしたらこの人、店の財産を狙っているのかしら」。疑惑が凛子の心の中に巣くい始めた。

産み月が近づいていた。

パリでするか、長野に帰ってするか——。どちらで出産しようか、高宮と話し合っていた凛子は、娘が母親の元で赤ちゃんを産むシーンを思い浮かべつつ、自分の思いを伝えた。

「長野の親元で産みたいわ」

凛子は長野で定期検診に通いながら自分の時間を過ごしていた。パリにいる夫の高宮とは時折電話で連絡を取り合っている。

朝、起きると凛子は三階の自分の部屋から一階の「割烹陣屋」に下りて行く。そこで新聞を読んだり友人に電話したりして寛ぐのが日課となっていた。

こうした凛子が気に障るのか、母吟の〝いじめ〟が目覚めたように始まる。

「お前のために新聞を取っているんじゃないからね」と吟は噛みつくように言う。「読みたければ自分で新聞を取りなさいよ。電話も使うならお金を払いなさい！」。

凛子は夕食を「割烹陣屋」の賄飯で済ませているのだが、この日は板前が「凛子ちゃんはお腹が大きいんだから、しっかり食べなくちゃね」と気を利かせて、ステーキを焼いてくれた。

板前の心配りに喜んでステーキを頬張っている凛子の後ろから、文字通り頭ごなしに吟の言葉が被さる。「働かざるもの食うべからず!」。言うが早いか吟は、ステーキの残る皿を取り上げた。

吟にしてみれば、天性とも言える接客術を持ちながら、妊娠しているとはいえ戦力として使えない凛子への苛立ちが、期せずしてこうした行動に駆り立てたのかもしれなかった。

だが、傍目には信じられない光景だったに違いない。間近で目撃した古参従業員で経理の中村雪子は真顔で尋ねる。

「凛子ちゃん、女将さんって本当にあなたのお母さんなの?」

辛かった。込み上げる涙をしゃくりながら三階に駆け上がり、例によって光恵姉に電話で再び救いを求めた。そしていつものように光恵姉の夫矩幸が迎えに来てくれるのだった。

故郷での出産を選択した凛子だが、思い描いたこととは大違いだった。度あるごとの母吟の仕打ちに嗚咽し涙を流す。そんな日々にあって光恵姉夫婦の存在は大きな心の支えだった。

母親が泣いてばかりいては、胎教にすこぶる悪い影響を及ぼしてしまう、と考え直した凛子は、精神的な安らぎを保てるようにとクラシック音楽を努めて聴くようにした。

昭和五十七年七月十八日。真夜中の午前零時を回った辺りから陣痛は始まった。早朝六時ジャスト――凛子は無事に男児を出産した。

「おめでとうございます。男の赤ちゃんですよ。安産で良かったですね」

看護師が驚くほど大きな泣き声の主を、大事な宝物を捧げるようにしてベッドの凛子に差し出した。その瞬間、凛子は感動もさることながらなぜかとても焦った。そして初対面の我が子向かって〝心の叫び声〟を上げていた。

「まあ、何という子どもを産んでしまったのかしら……。まったくお猿さんそっくりだわ！」

さらに看護師から掛けられた「安産でしたね」の慰労の言葉にしても、しっくりこなかった。およそ六時間に及ぶ陣痛の苦しみを思うと、何とも腑に落ちなかったのだ。

尋常では考えられない陣痛の痛みを体験した凛子は、この激痛を克服して何人も出産する女性の凄さ、強さに同じ女性として感銘を受けた。「父親となる世の夫は、子どもを産んで母親となる妻に感謝しても、し足りないことを知るべきだわね」と思うのだ。

生まれた赤ちゃんには「黄疸」があった。保育器に入れられサングラスに白いオムツだけの裸で大の字に寝ているわが子。まるで海岸で日焼けをしている大人のような姿に、症状も忘れて凛子は思わず笑ってしまった。

出産直後から友人知人がお祝いに駆けつけた。その都度、凛子は嬉しくて保育器がガラス越しに見える所まで案内する。

こうして三日ほどが過ぎて心身共に余裕が生まれた凛子は、出産してから初めて手鏡で顔を覗き込んで飛び上がるほど驚いた。何と顔下半分が真っ黒になっている他人のような自分が映っていたのだ。

自分の顔にギョッとする凛子は、「お祝いに来てくれた人たちと、私はこんな顔で会っていたの⁉」と思うと、本当にどうしていいのか分からず、穴があったら入りたい気分に沈んだ。

今更ながら慌てた凛子は、真っ黒になった顔下半分のことを抗議したい気持ちで、医師に尋ねた。

陣痛でイキむ際、顔にばかり力を入れていたため顔面下の毛細血管が切れてしまったそうで、「あと数日もすれば、黒ずみは取れます」。医師は労るように説明してくれた。

「物凄くかわいい！」。しばらくすると赤ちゃんの〝お猿さん顔〟にも、良き変化が日に日に表れてきていた。

この子は母乳で育てたい——。母親としての望みを実現するため凜子は、乳を出すための「おっぱいマッサージ」に励んだ。出産と同レベルの激痛に耐えながら頑張っていた。

父親の高宮には、出産を無事終えたことを真っ先に知らせていた。しかし、妊娠を報告したときに、あれほど喜び勇んでパリから長野に馳せ参じた高宮は、今回まるで人が変わったように関心を示さなかった。

そうした中で、凜子はわが子を「壮太郎」と命名した。

「男らしく、強く、勇ましくあれ」との思いを込めた。そこには父親を「反面教師」とする凜子の意図がこめられていた。

退院した凜子の元に、妊娠で先延ばしとなっていたサンジェルマンのスナックの件で、草津喜代子が「出産祝い」を兼ねてパリから訪ねてきた。店の引き継ぎなどについて話し合った凜子は、買取り価格や支払い方法など大筋で見通しが立ち、働きながらパリで自立していける自信を深めた。

高宮と縁を切って、女手一つで壮太郎を育てていく「生活設計」が、凜子の頭の中にほぼ出来上がっていた。

第十二章　「割烹陣屋」の女将になる

母の吟は、弟雄一を「割烹陣屋」の跡取りに据えることに見切りをつけた。

凛子の結婚で割烹を継ぐ羽目になった雄一は、かねてからお座敷に出る妻の幸子といさかいが絶えなかった。ほとほと困り果てた吟は、「雄一はね、この商売には向いていないんだよ」と言って、当時パリにいた凛子にしょっちゅう電話して愚痴をこぼしていた。

その雄一がついに「陣屋」を辞めた。

吟は、雄一が大好きな写真で身が立つようにと長野市三輪田町に一軒家を買い与えて、写真館兼カメラ店を開かせた。

雄一は仲睦まじい夫婦仲を取り戻して、新たな生活を再スタートさせている。

凛子は、生まれたばかりの壮太郎が飛行機に乗れるようになったら、パリに帰ろうと考えていた。そしてパリに戻ってから高宮と別れる決心を母に明かした。

あるとき母は、あらたまった様子で「話がある」と凛子に言った。このまま長野に留まり、「割烹陣屋」の跡を引き継げというのだ。

サンジェルマンのスナックを買い取る段取りになっている計画を説明した凛子は、その上で母の頼みを断った。

いったん言い出したら自ら引き下がる母ではないが、今回はその強気一辺倒の姿はどこにもなかった。

「もう私のお客様は皆、年を取っているし売り上げも年々落ちて、銀行からの借り入れも嵩んでね。このままでは『割烹陣屋』は潰れてしまうよ」と涙が母の頬を伝う。

「お前が跡を継いでくれれば、絶対に売り上げは上がるし店も潰さないで済む。何としてもお願いだから跡を継いでやっておくれよ」

経営の厳しさ、辛さを涙ながらに切々と訴える姿は、普段の母からはとても想像できなかった。哀れにさえ感じた凜子はついもらい泣きしてしまうが、だからといって首を縦に振ることなかった。

だが、決して諦めない吟は、何日も執拗に口説き続け、そしてあるときから〝条件闘争〟に切り替え、次のような条件を持ち出して説得にかかった。
一、「割烹陣屋」は、一年後に社長を吟から凜子に交代し経営の全てを引き渡す。それまでの一年間を見習い期間として凜子は店を手伝う。
二、凜子の見習い期間の給料は、日給一万円とする。
三、凜子が「割烹陣屋」で働くことを前提に、母が費用を負担して壮太郎の子守を雇う。
吟の〝譲歩〟に凜子の気持ちは揺らぎ始める。

母は、幼い凜子を育てながら女手一つで、何度も改装を重ねて「割烹陣屋」をここまで大きくしてきた―。それを思うと、「店を潰してしまうことだけは、絶対に避けなければいけない。長女の私が引き継ぐしか他に道がないのかもしれない」。

凜子は、重い責任を背負い込む方向に気持ちが次第に傾き始めていた。

草津喜代子と約束を交わした、パリはサンジェルマンのスナック経営に未練がないとは決して言えない。だが、赤ちゃんが生まれた今、離婚した後の環境を考えれば一人パリで子どもを育てるより、日本の故郷で身内が近くにいる方が何十倍、いや何百倍も心強いに決まっていた。

凜子はここに至るまで、夫の高宮に相談することは何一つなかった。

「私の言うことを守ってくれるなら『割烹　陣屋』の跡を取るわ」。凜子は、母の条件に三つの事柄を追加した。

一、母吟が先に提案した条件をちゃんと守ること。

二、「割烹」経験の薄い凜子を補うため、今の従業員には引き続き働いてもらう。

三、社長交代に伴い「割烹陣屋」の建物を吟名義から「有限会社陣屋」に名義変更するが、その際に吟の将来に配慮して現金一千万円を支払う。

母吟は、これを承諾した。

三度目の正直―凜子は長野に腰を落ち着ける決心をした。

「私は故郷の長野に残ることになりました」。凛子は喜代子に事情を説明し、後ろ髪を引かれる思いでパリでのスナック経営から身を引いた。

しばらくは子育てに専念して、壮太郎との時間をゆっくり持つつもりでいた凛子だったが、母はそれを許さなかった。その上、高宮との離婚を「早くしろ、早くしろ」と急き立てたのだ。

生後二か月足らずの壮太郎を母に任せて、凛子は一人パリへと向かった。

壮太郎を思うと自然に張ってくるおっぱいを何度も搾りながら、パリ生活にピリオドを打つためだけに渡欧する凛子は、孤独な機内の時間を過ごした。

高宮は折よくサンフランシスコからパリに戻っていたのだが、凛子は「離婚」を言い出せないまま数日が経過していた。

高宮もまた、凛子が壮太郎を連れて来なかったことなど眼中にないかのように振る舞い、何も聞こうとはしなかった。さらに不可解なのは、壮太郎の写真を見せても、その様子を話しても一向に関心を示さず、全てが他人事だった。

そして二人でショッピングに出掛けたときのこと。ベビー服専門店の前を通りかかった凛子は立ち止まり、「赤ちゃんの服が欲しい」とねだった。ところが高宮のとった行動はあきれるもので、凛子の腕を掴んでグイグイ引っ張るように店の前から離れたのだ。

高宮には華をはじめ三人の子どもがいる。凛子にとって初めの子どもであっても、高宮にしてみれば「今更」という感じでしかないのかもしれない――。

お人よしの凛子は、自分の中で高宮の無関心さをやや強引に正当化しようとした。だがすぐにそれは無理だと分かる。凛子が最初に妊娠を知らせたときの高宮のあの喜びようは何だったのか？　理解に行き詰まってしまう。

それにしても、壮太郎に対する父親としての高宮の態度は、あまりにも冷たすぎると感じる凛子は、このひとつの事実から目をそらすわけにはいかなかった。

「やはり、この人との生活は絶対に耐えられない」。覚悟を固めた凛子は、ようやく高宮に離婚を切り出した。

生活費をもらえないことなどを引き合いに、「あなたの不誠実な、その時々の気分に振り回されるような生活は、もうできないわ」と告げた。

壮太郎を連れて来なかったことに高宮は、薄々何かを感じているはずだと凛子は察していたが、彼は別れ話に驚きを隠さなかった。

それでも即座に「別れる気はまったくないからね」と拒絶した。

平行線の別れ話が、数日間繰り返される中で高宮は〝本性〟を垣間見せた。今回、凛子があえて口をつぐんでいた「割烹陣屋」を継ぐ話を、高宮はいきなり持ち出したのだ。

「あなたが長野に住んで『割烹陣屋』を引き継ぎ、財産をそっくり相続しなさいよ。普段は一緒にいなくてもいいから離婚せず、二人で年に一回は旅行しよう」

何と上から目線の身勝手な言い分なのかと、半ば呆れ気味に〝確認〟する。

「離婚せずに私が長野で暮らすということになれば、生活費や養育費は当然あなたから送ってもらえるのよね」

凛子の皮肉をものともせず、高宮は断言する。

「いや、それは送らない！」

あぁ、やっぱり……。凛子は高宮の魂胆を見た、と思った。私を利用して「割烹陣屋」を自分の物にする気なのだ、きっと。

高宮だけには絶対利用されない、利用されるのはイヤだ—。心に強く刻んだ凛子は、損得を抜きにして離婚を最優先にすることだけを考えた。

「『慰謝料』も『養育費』も一切要らないから別れてちょうだい。その代わり、別れたら二度と私の前に現れないで！」

凛子の口調には、「嫌とは言わせない」強い意志がこもっていた。

高宮は離婚を渋々承諾した。

パリ暮らしに幕を下ろした凛子は、さっそく荷物をまとめて船便で日本へ送る手はずを整えた。その中には例の赤い「ポルシェ」も当然のようにデンと〝鎮座〟していた。

パリから長野に戻った凛子は真っ先に母吟の元に向かった。一か月半ぶりの壮太郎は、見違えるほど体が大きくしっかりと成長していた。

凛子は留守中、壮太郎を預かってもらったことに礼を言い、高宮ときちんと離婚が成立したことを報告した。その上で「これから二、三か月は子育てに専念して、割烹の見習いを始めるわね」と伝えた。すると母は間髪を入れずに言った。

「お前は何を悠長なこと言ってるの！　今晩から店に出なさい」

「そんなことができるわけはないでしょ！　壮太郎はどうするのよ」

いきなりの無茶振りに凛子も言い返したのだが、母は言い放った。

「一人で寝かせておけばいいじゃないの！」

言葉を失い唖然として母の顔を見据える凛子に、母吟はさらなる追い打ちをかけた。凛子に「陣屋」を継がせるため自ら言い出した条件を、反故にすることを平然と口にしたのだ。

「お前ね、あれからいろいろと考えたんだけど、『陣屋』の経営状態が悪くてまったく余裕がないんだよ。だから、お前の日給に一万円も出せないから六千円にするよ。それとさ、子守を雇うのはお前の子どもなんだから、自分で払いなさいよね」

最初からそのつもりだったのだ。うかつにも今、母の狙いに初めて気付いた。

パリを引き揚げてきて、もうどこにも行く場所がない凜子は、下唇をぎゅっと噛んで我慢するしかなかった。

離婚を見計らった上で見せた母吟の手の平返し—。凜子は見事にしてやられたのだった。


子守が見つかるまでしばらくの間、凜子は何とか壮太郎との時間を持つことができた。壮太郎が泣いても笑っても自然に笑みがこぼれ、心が満たされることが唯一の救いとなった。

出産前の凜子は、さほど子どもが好きというわけではなかった。時として「うるさい存在」程度にしか思っていなかったのだが、自身が子をなして以来、今ではどの赤ちゃんを見てもたまらなくかわいらしく思えるようになった。

そんな瞬間、「子どもを産んで本当に良かった」としみじみ実感する。そして、女性として子どもを産み育てることは、人生一番の大仕事だとの思いを噛み締める。

垣内という子守の人が見つかった。これは同時に見習い期間とはいえ、凜子が「割烹陣屋」で本格的に女将への第一歩を踏み出すことを意味していた。

母の吟に、座敷から座敷へと引き回されて挨拶する日々を送る凜子は、母の接客を目の当たりにしてその見事さに目を見張った。

母がひとたび口を開けば大勢の客が一斉に注目する。客の気をそらさず、その場その時の話題に咄嗟の言葉で応じる当意即妙さ、豊富なボキャブラリーにはさすがの凛子も舌を巻く。

やはり母はすごい、一流だ——。

凛子は尊敬の念を深めると同時に改めて思うところがあった。

「母には強烈な仕打ちをいろいろと受けてきたけれど、やはり私は母が好きだし、仕事の面で目標とする眩しい存在の人なんだ」と。

子育てと女将の見習い期間を順調にこなす凛子は、高宮との結婚を契機に閉店した「くらぶ凛子」の〝再興〟を決めた。

「あなたには素晴らしい五感が全てそろっている。何をしても結果を残せる人だ」。こう凛子を高く評価してくれたのが、かつての常連客でパリ時代に文通していた当時の西野建設設計部長で、現在は建築事務所を経営している奥宮所長だ。

「くらぶ凛子」の再オープンを奥宮所長は大いに喜び、無償で店のインテリアデザインを引き受けてくれた。その上、費用を低く抑えるために大工をはじめ設備や家具、電気工事といった業者に直接発注するなど協力を惜しまなかった。

世界を旅して知見を広めたという奥宮所長の設計によるインテリアは「さすが」と言うほかはなかった。

従業員の募集も始めた。すると閉店当時「くらぶ凜子」の店長をしていた新沼武士の妻だという女性が、息子一人を連れて凜子に会いにきた。

新沼の妻と顔を合わせるのは二人の結婚式以来だった。結婚式では、新沼のたっての頼みで凜子は仲人を務めていた。当時独り身の凜子ではあったが、銀座時代からの支援者で東京の会社社長、赤石克也を「仮夫」に見立てて引き受けたのだった。

新沼は、金の使い込みで本来「クビ」になるところだったが、凜子の結婚が決まり閉店も間近という事情に救われ、情けで全てが不問とされた経緯がある。このため、使い込みが公になることもなく、店を閉めるまで店長を務めたお陰で、新沼は権堂に「春夏冬」と書いて「あきない」と読ませる小料理屋を開店させた。

また凜子は、自分が開拓した長野市内のコンパニオン業務を取り仕切る権利を新沼に引き継がせ、生活に困らないよう手筈も整えてあげていたのだ。

妻の話だと、ここ数年は小料理屋「春夏冬」の売り上げが落ち込み、新沼は金策に走り回っていたという。だが、双方の親戚筋をはじめすでに頼れる所がなくなる中で、ここ三か月ほど家に帰っておらず、行方不明状態が続いているそうだ。

自宅には、朝に夕に闇金融の取り立てが厳しく、おちおち暮らしてもいられない状態だという。一人っ子の息子もすっかり怯えてしまっているとかで、「何とか、夫を捜してもらえないでしょうか」と妻は、凛子に泣いて懇願した。

裏切られても、あれこれと身が立つように道筋を作ってあげたことで、凛子は正直なところ、もう新沼とは関わりを持ちたくなかった。たとえ妻にこうして泣きつかれたとしても、と思っていたのだが、幼子を脇に抱きかかえ憔悴し切っている姿を見て見ぬ振りは、凛子には到底できなかった。

「できるだけ捜してみましょう」と凛子は約束した。いや、してしまった。

数日後、凛子のネットワークによって新沼の所在が明らかになる。

善光寺北側の坂道を上った所にある「ほなみ旅館」に滞在しており、事もあろうに女連れだった。早速、凛子は自宅に呼び付けた。

一人で来た新沼は、ボソボソと事情を話し始めた。それによると、街の金融業者からの借金が嵩み、取り立てから逃げ回っていたそうだ。旅館で一緒の女性は恵美という名で、「愛し合っていて、とても別れることはできない」と話す新沼は、額を床に擦り付けて「何とか自分たちを助けてください」とすがる。

新沼の借金は全部で三五〇万円ほどあった。それも五か所から借りていたため、そうでなくても高い金利が余計に膨らんでいた。

このため、借入先を一か所にまとめて返済を楽にしようと考えた凛子は、自分が保証人となって銀行に三五〇万円の「借金」を申し込んだ。

後日、新沼夫婦を呼んだ凛子は、二人の目の前で五か所の闇金業者それぞれに全額を返済した。本来ならば、これで一件落着となるところだが、これで済ませられないのが凛子の性分なのだ。妻のことを考え、このままほっぽり出せない凛子は新沼に伝えた。

「行きがかり上、仕方ないのであなたをもう一度『くらぶ凛子』の店長として雇うことにするわ。ただし、銀行の借金が全額返済されるまでは月給二五万円で、賃上げはないからね」

二度と騙されるのは嫌だ、とあれほど思っていた新沼を再び雇い入れる。約束事などさほど当てにできないことを承知の上で、「以前のような使い込みは絶対にしません」と誓わせた。加えて、恵美もホステスとして雇うことにした。

だが人は分からないもので、恵美には天分とも言えるような接客の才能が備わっていた。後に恵美は「くらぶ凛子」に欠かせない存在となる。

凛子は、新沼の様子を妻に逐一報告したが、もちろん恵美のことには一切触れなかった。新沼の生活は落ち着きを取り戻していた。

「くらぶ凛子」は再出発した。

故郷の温もりに包まれた安ど感を覚えつつ凛子は、続々と訪れるかっての馴染み客らを出迎えた。

「お〜い、帰って来たかぁ」。開店して数日後、元日航商事の海保八郎副社長が突然店に現れた。驚く凛子をよそに、「これ、返しにきたぞぉ」と呼び掛けるように言った。

手には一体の博多人形が握られている。それは凛子が閉店の際、記念にと海保元副社長にプレゼントしたものだ。

台座の裏に男女の営みが彫られていて、店の「御守り」として飾っていたその博多人形――「再び開店したからには、また必要になるだろう」と、わざわざ東京から持参してくれたのだ。この海保副社長の粋な計らいに、凛子はいたく感動した。

忙しさを増した凛子だが、壮太郎と一緒にいる時間は朝から夕まで十分に取って、子育てを楽しむ余裕があった。夕方からは通いの子守を頼んでいる。

壮太郎を預けた凛子は、三階の住まいからまず一、二階の「割烹陣屋」に向かう。そこでのお座敷が済むと地下の「くらぶ凛子」に降りて行く。店を閉めて住まいに戻るころには日付が変わっているのだが、三階建て地下一階のビル内を垂直移動するだけなので、比較的合理的な「働き方」といえた。

しかしアルコールには弱い体質の凛子は、元来嫌いな酒で毎晩酔った状態で帰宅していた。というのも「差しつ差されつ」盃を回すお座敷の割烹では、クラブと違って飲んだ振りして繕うことができないからだ。

例えばこんな風に——客がグイっと飲み干した盃を凛子に差し出し、「さあ、飲め」とばかりに客が酌をする。もうこうなれば断るに断れない。目の前で酒を捨てるわけにもいかず、残された手段は飲むしかない。仕方なく喉に流し込むその果てにあるのは、グデングデンに酔っぱらうことだけなのだ。

凛子が結婚してパリに行っていた四年ほどの間に、長野の夜の街は大きく変わっていた。閉店するまでは「くらぶ凛子」が長野で一番と言われていたが、現在は「サファイア佐藤」というクラブが一流店の名をほしいままにしていた。しかも経営しているのが驚いたことに、凛子にとっての疫病神——あの今朝美だった。

今朝美には、金を騙し取られたり裏切られたりで、散々嫌な思いをさせられていた。

しかし凛子は、高宮との結婚が決まり、専業主婦としてパリ移住を目前に控えて有頂天になっていた当時、どこか優越感のような余裕が善し悪しを別にして全ての物事を寛容にさせていた。

そこに舞い込んだのが、クラブを任せられるママを紹介してほしいという依頼で、凛子が最初に思い浮かべたのが今朝美だった。当時窮地に陥っていた彼女に救いの手を差し伸べ、パリ移住の置き土産として権堂にある「クラブやまと」のママに推薦したのだった。

その「クラブやまと」が、店名を変えて「サファイア佐藤」になっていた。「佐藤」は今朝美の姓だ。

人づてに聞いた話によると、今朝美と柴田という彼氏がタダ同然で経営を引き継いだそうで、今や「サファイア佐藤」は飛ぶ鳥を落とす勢いなのだ。

凛子は何となく「長野一番」の座を、今朝美にかすめ取られたような気分で釈然としなかった。と同時に、悔しさと焦りを感じていた。ただ、本をただせば「くらぶ凛子」を閉めたのも、今の結果を招いているのも、全ては凛子自身なのだ。

「初心に戻って努力を重ねよう」と凛子は気持ちを切り替えた。

ところが今朝美は、かつて自分がママとして開店したクラブ「シーバー」（後に破産）のときとまったく同じ手段で、あからさまにホステスの引き抜きを凛子に仕掛けてきたのだ。

「くらぶ凛子」の日給に三〇〇〇円も上乗せして、めぼしいホステスたちを「サファイア佐藤」にスカウトしていた。

目に余るあまりのやり方に凛子は、今朝美に直接電話して引き抜きを止めるよう申し入れた。すると今朝美から連絡を受けたのだろう、その日のうちに地元のヤクザがやってきた。応対した凛子に定石通りのタンカを切った。「『サファイア佐藤』はウチで面倒を見ている店だ。文句があるならこっちに言え！」。

ひょんなことから「神戸」などその筋にツテがないわけではなかった凛子だが、信念をもって反社会勢力とは一線を画している。今更、つながりを持つことを「良」とはしない。このため、その後もホステスは引き抜かれ放題、いくら補っても追い付かない悲惨な状態に追い込まれていた。

この商売は特に人材の確保が難しい。そこを今朝美に突かれことごとく邪魔をされ、結局は泣き寝入りするしかない凛子は、喉に魚の骨が刺さったような不快さを常に感じていた。

腹立たしいことはまだある。真正直な凛子には真似のできない今朝美の狡猾(こうかつ)さが、今ある「くらぶ凛子」と「サファイア佐藤」の差となって表れていることだった。

かつて凛子が立ち上げたコンパニオン業務は、今やホステスたちだけではなくコンパニオン派遣の専門会社ができるまで発展している。

凛子をはじめ長野市の名だたる店のママたちが、それぞれのホステスたちを引き連れてホテルなどの宴会場に出向いていた。

もちろん、その中には今朝美もいる。

「ママ〜、お久しぶり〜」

凛子を見つけて駆け寄る今朝美は、さも大袈裟にハグして挨拶する。裏では暴力団を使って脅しをかけておいて、こうした同業者などが揃う公衆の面前では親しげに、それでいていかにもへりくだった態度を計算尽くで演じる。

臆面もない今朝美に対して憎らしくてはらわたが煮えくり返る凛子だが、感情を押し殺してニコッと作り笑顔で応じる。傍目もあり、そうせざるを得ないのを見越した今朝美らしい狡猾さだった。

大方の宴会場では、大広間にいくつもの丸テーブルが並ぶ。クラブやキャバレーなどからのコンパニオンにとって、メインテーブルにどこの店のママたちが着くのか、関心の的だ。すなわちそれが店の格付けにつながるからだ。

そういう意味でのメインテーブルは、常に凛子の「指定席」なのだが必ず今朝美と一緒になる。

本来コンパニオンの仕事は、客に酌をしたりオードブルなどを皿に盛ったりしてサービスするのだが、宴会が始まっても今朝美は一切こうしたことをしない。

何をしているのかといえば、メインの客の隣に座り込んで、さも気に入られている風を装って動かない。さらに客に寄り添って扇子を揺るがす横柄な接客態度は、いかにも「ここに来ている全てのコンパニオンたちを仕切っている『総監督』は私よ」とでも言っているかのようだったし、客にもそう映ったに違いない。

凛子は、今朝美に顎で使われているような屈辱感を味わわされ、本当にムカついていた。これまでもそうだったが、何事においても凛子をうらやましがり、あらゆることを真似する今朝美の性癖は変わっていなかった。

コンパニオンとして向かうパーティーでは度々顔を合わせるが、凛子がダイヤの指輪をしていると、次のパーティーで今朝美は凛子より大きいダイヤをしてくる。ルビーのときもエメラルドの際も「負けじ」と同じことを繰り返す今朝美は、凛子と張り合うために金に飽かせて宝石を買い漁っているらしかった。

この日も凛子たちは、コンパニオンとしてあるパーティーに出ていた。

宴会が終わり、凛子をはじめホステスたちコンパニオンが、各テーブルに飾られた花を持ち帰ろうとしていた。そこに居合わせたコンパニオン会社の中本社長が、凛子に近付いて思わぬ苦情を口にした。

「花を持ち帰るのは禁止なので、止めていただけませんか」

社長の中本は、以前「くらぶ凜子」にボーイとして勤めていた。当時、働きぶりが素晴らしかった中本とホステスの紅子を連れて、凜子は「ご褒美」としてフィリピン旅行をしたことがあった。

トラブル続きの旅行の中で極め付きが、凜子と紅子から預かった現金を中本が現地の女に盗まれる失態を演じたことだった。ところが中本は、言葉も通じない中で大奮闘し、その甲斐あって現金は半年後に戻ってきた。こんな「奇跡」に三人は祝杯を挙げて大喜びしたものだった。

この旅行で中本はすっかり海外にハマって長野の旅行代理店に就職するも、しばらく勤めた後に退社して「くらぶ凜子」のホステスと結婚。今ではコンパニオン会社の他に権堂で二軒のクラブを経営し、この界隈では大した顔になっていた。

その中本に注意されたとき凜子の傍には、不祥事に目をつむって「くらぶ凜子」の店長に再採用した新沼がいた。

「昔は、いつも花をもらっていたわよねえ」と、凜子から同意を求められた新沼は、バツの悪そうな顔をして無言でそそくさとどこかへ行ってしまった。

パリに行く際、凜子が構築したコンパニオン・システムの権利を引き継がせたにもかかわらず、コンパニオン業界の新参者でかつては「くらぶ凜子」の部下でもあった中本に、新沼は完全に仕切られ、今や何も言えない立場に追いやられていたのだ。

このことに驚きもした凜子を殊更がっかりさせたのは、新沼が今朝美にもばかばかしいほど丁寧な言葉遣いで接していたことだった。今朝美もまた、そんな新沼を見下すような態度でいるのも気に入らなかった。

しかし今朝美をこうした立場に導いたのは誰あろうか……、凜子は改めて自分のバカさ加減に腹を立てた。

長野を離れてわずか四年の歳月が、長野の「夜の勢力図」をすっかり塗り替えてしまったのだ。隔世の感を禁じ得ない凜子をわびしさが覆った。

今朝美の嫌がらせが続く中で、クラブ「サファイア佐藤」が相変わらず一流店の評価を得続けている不条理さが、凜子を苦しめていた。

口八丁手八丁で世渡り上手、頭の天辺から足の爪先まで全身を嘘で固めたような今朝美が、世間では「一流」だの「成功者」だのともてはやされる。

ならば、くそ真面目で真逆をゆく私の「仕事の流儀」は、時代遅れなのか？　将来はないのか？　凜子は本気になって考え込むことが多くなっていた。そのたびに、お先真っ暗な嫌な気分に陥ってしまうのだ。

いっそのこと今朝美の実体を客に暴いてやろう――。突然、こんな〝暴露の誘惑〟に駆られることがある。だが、同業者の悪口を言いふらすことは、水商売というより人の道にもとる行為だ、と凜子の良心が押し留める。

抱え込んだうっぷんを晴らすところもなく長い間、悶々とした日々を送る凜子だが、こうした中にも自身の「品格」を支える誇りがある。それは、日本でも一流企業の名立たる経営者らが、「くらぶ凜子」の客として名を連ねているという自負だった。

四菱電機の近藤貞和社長、南急グループ総帥で日本商工会議所の三島昇会頭、元日航商事の海保八郎副社長、富士山通商の重役等々、開店当初からのお歴々が戻って来てくれていた。また変わることなく東京からの客が多いことも、凜子は嬉しかったし仕事への意欲をかき立てていた。


生まれた当初はまるでお猿さんのような顔つきで、ただただ大声を張り上げて泣くばかりだった壮太郎は、日に日にかわいらしさを増して体つきも男の子らしく頼もしくなっていた。

店が休みの日曜日、凜子は母親として壮太郎に付きっ切りで、一週間分の愛情を傾けて子育て時間を楽しく過ごしていた。

このところ凛子は、育児にいいと言われるクラシック音楽を努めて聴くようにしていた。音量を上げて「BGM」代わりにしているのだが、そのうち壮太郎は曲に反応するように、悲しい曲が流れると泣きべそをかき始める。凛子はチョットばかり驚きもしたが、偶然だと思いスルーしていた。

しかし、無意識のうちに心のどこかに引っかかっていたのだろう、あるとき半信半疑で何度か同じ曲をかけてみた。すると壮太郎は、必ず泣き出しそうな顔を見せる。そこで、試しに楽しい曲をかけて反応をうかがうと、どうだろう、今度は曲調に合わせてニコニコと体を揺すり始めたのだ。

この子は何と素晴らしい感性の持ち主なんだろうか。凛子は「親ばか」になれた瞬間を大いに喜び、そして心から壮太郎に語りかけた。

「私のところに生まれてきてくれて、ありがとう」


待ちわびていた名古屋税関からの連絡が入った。

離婚が決まり、パリから船便で送った引っ越し荷物—真っ赤な「ポルシェ」が、ようやく日本に着いたというのだ。凛子が長野に帰って来てからすでに半年が過ぎていた。

しばらくしてポルシェは凛子の元に届いたのだが、追うように名古屋税関の職員一人が訪ねて来た。ポルシェが本当に引っ越し荷物なのか、実際は売買目的なのではないか——。その確認のために名古屋からわざわざ出張して来たという。

この後も半年に一回の頻度で、ポルシェの存在確認が出張によって行われた。

実は名古屋税関の出先が、「くらぶ凛子」と目と鼻の先にある合同庁舎に入っていることを、凛子は人づてに聞いて知っている。「長野の出先に確認させれば済むものを、毎回名古屋から出張って来るなんて、これって税金の無駄遣いなんじゃないかしら」。凛子は国のシステムのおかしさをつくづく思った。

「クラブ」はある意味で社交の場、思いも寄らない人と人とを結び付ける〝人脈の交差点〟ともいえる。あるとき凛子は、日本海上火災の木嶋常務とバスケットが大好きだという話で盛り上がっていた。

中学時代はバスケットのファンで、放課後はいつも講堂で友達と一緒にクラブ練習を見ていたなどと、遠い昔を懐かしむ凛子に、「そういえば……」と木嶋常務が、思い出したとばかりに口を挟んだ。「ウチの会社に、長野出身でバスケットをやっていた奴がいるぞ」と。

「名前は確か、『小沢賢吾』という奴だよ」

「オザワ⁉　ケンゴ⁉」

……えっ！　名前を耳にした凛子は、飛び上がるほど驚いた。知っているも何も、同じ中学校で凛子が個人的に応援していた選手だ。

当時、凛子たち親友三人は、放課後になると講堂へ行ってバスケットクラブの練習を見ていた。そのうち、それぞれ三人が贔屓する選手を決めて応援しようということになり、凛子の選んだ相手が小沢賢吾だった。そうこうして〝意識〟しているうちに小沢選手が、自分の「初恋相手」のような気持ちになっていたのだ。

クラスが違ったために一度も口をきくことなく卒業したが、凛子が高校に入って間もなくして、皮肉にも賢吾の兄で大学生の秀樹に交際を申し込まれるという、エピソード付きの青春がよみがえってきた。

「今思えば、あれが私の初恋だったのかしらねぇ」。懐かしさのあまり饒舌な凛子は昔話に花を咲かせた。

それから半年も経ったころだった。「くらぶ凛子」のボックス席で接待していた凛子は、ふと見やったカウンター席に座る一人の男性に気付いた。

「小沢さんだ！」。凛子はすぐに分かった。

木嶋常務から話を聞いて来てくれたのだ、ということも容易に想像できて嬉しさが込み上げてきた。だがその一方で、私の「初恋の人」発言も伝わっているはずだ、と思った途端に凛子の胸は早鐘を打ち始める。

「いらっしゃいませ」

小沢の背中に努めて冷静に声を掛けた凛子は、隣の椅子に座ったものの、「お飲み物は?」と口にするのが精いっぱいで、後に続く言葉がまるで出てこない。

客商売は凛子の天職だ。どのような客にも臆したことはないし、おしゃべりは得意なはずなのに……。小沢に会って中学時代にタイムスリップした凛子は、好きな人を前にして顔を赤らめ俯いて何も話せない、初心(うぶ)な少女に戻っていた。

小沢も凛子に合わせるように寡黙だった。会話らしい会話もなく、気詰まりな空気感がぎこちなく包む二人に、微妙な時間だけが過ぎた。

「頑張ってください」

小沢は帰り際、凛子に囁くように言った。

その一言を胸に留め小沢を見送った凛子は悔やんだ。何とも情けない自分にがっかりもした。思いがけない出会いの機会を満足に生かせず、「もったいないことをしてしまった」と嘆いてみたところで、時間は巻き戻せなかった。

当時、長野商工会議所会頭を務めていた信州電鉄の神谷社長が、皇族の方を案内して「くらぶ凛子に」見えた。

宮様は、およそ皇族らしからぬ言動で注目を集める一方、国民からは親しみを込めて「○○の殿下」の愛称で呼ばれていた。神谷社長は、志賀高原で幼いころの殿下にスキーの手ほどきをして以来の長い付き合いだという。

志賀高原は神谷社長の曽祖父によって開発された。出身が佐久地方の志賀村（現在、佐久市）だったことから、スキー場を中心に観光開発した沓野山一帯を「志賀高原」と命名した。

有名、著名人が多く訪れる「くらぶ凛子」であっても皇族を迎えるのは初めてで、「皇族の方も普通のクラブにお越しになるのね」と凛子も驚いた。

だが同席してみると、殿下はとてもフランクだった。会話からして一般の人たちと変わらず、さほど緊張することもなく普段どおりに接待ができた凛子は、貴重で楽しい時間に感謝した。

殿下と神谷社長が「くらぶ凛子」を出てしばらくすると、殿下から凛子に電話がかかってきた。二人で他の店に来ているのだけれど「ママにどうしても会いたいから来てほしい」

と言う。とても光栄な誘いだったが、東京からの客が数組入っていたことから店を空けるわけにもいかず、残念ながら丁重にお断りするしかなかった。

その常連客はいきなり、凛子にこんなことを言い始めた。

「ママは、なぜあんな立派な人と別れて、日本に戻って来たのかな?」

地方銀行の井上頭取はかなり酔っている。店内とはいえ大声で何度も繰り返すため、聞き流すわけにもいかない凛子は、答える前に「どうして、そんなことおっしゃるんですか?」と尋ねた。

頭取の言う「立派な人」とは、もちろん離婚した前夫、高宮昭二のことだ。

二人に接点はなかったはずなのにどこでどう知り合ったのか、凛子は不思議でならなかったが、頭取の話でアメリカのロスアンゼルス空港で出会ったことが分かった。それも空港内のコーヒーカウンター、アメリカ出張の頭取と高宮が偶然にも隣り合わせたというのだ。同じ日本人ということで互いに自己紹介を交わす中、「私の別れたワイフが、長野出身なんです」と切り出した高宮が、凛子の名前を出したそうだ。「くらぶ凛子」の常連客の頭取が凛子を知らないわけがない。降って湧いたような共通の話題に大いに盛り上がる二人の姿が、凛子には容易に想像できた。

凜子は合点する――高宮のブラックな本性を知っているのは私だけだ。たぶん高宮は話す相手が銀行頭取と分かって、いつものように金持ち風を吹かしたのだろう。

何も知らずうわべだけの高宮をベタ褒めの頭取は、酔った勢いもあって「あんな素晴らしい男と別れたママは、愚か者だ！」と何度も、辛辣な言葉を凜子に向けた。

苦々しい気持ちを抱えながら凜子は、この夜もまた酔っぱらって足元もおぼつかない頭取の両肩を従業員と二人で支え、店から徒歩で五、六分の自宅まで送り届けた。

「割烹陣屋」の女将見習いとしてお座敷に出ていた凜子は、挨拶に回る座敷、座敷の客から異口同音に異なことを言われていた。

「あなたがパリでご主人と別れて家を飛び出した、というときのお母さんの心配の仕方は、尋常ではなかったよ。凜子さんの身を案じて、私たちが店に来るたびに涙に暮れていてね。随分とお母さんには心配を掛けたのだから、これからは精々親孝行しないとね」

あることないこと客から聞かされるたびに、あのときの悪夢がよみがえって凜子を襲ってくる。

高宮の〝奇行〟からパリ郊外に逃げた凜子が、日本へ帰るためのお金を送ってほしい、と国際電話で必死に懇願したが、母の吟はけんもほろろに断ったのだ。

この事実を隠して、客の前で「悲劇の母親」を演じていたことを凛子は初めて知った。商売のためとはいえ、私生活を暴露してまで客の歓心を買う母の心根の醜さ、汚さを腹の底からののしった。

それでも凛子は心の内とは別に、「まことに、おっしゃるとおりです。実家に戻りましたので、これから一生懸命『陣屋』で頑張って親孝行に励みますので、宜しくお願いします」と応じて、その場の悔しさを繕い微笑み返すのだった。

馴染みの客から招待された凛子と母の吟は東京にいた。夕食を済ませてホテルに戻った凛子に異変が起きたのは、ベッドに入った後だった。

腹痛――。それは七転八倒の苦しみで、とても眠るどころの話ではなかった。痛みは時間を追うごとに酷くなり吐き気も加わる。

隣のベッドに寝る母を起こして助けを求めるも、「そのうちに良くなるから……」と言うだけで、寝返りを打ってそっぽを向かれてしまう。

一人で起き上がることもできなくなっていた凛子は、ずり落ちるようにベッドから降り、床を這いずってトイレに向かった。便器に顔を突っ込んだまま喘ぎながら苦しさを我慢し続ける。

どれほどの時間が経っただろうか、それも限界だった。どうにも耐えきれない。再び這ってベッドに戻った凛子は、体を起こすのもやっとの思いで枕元の受話器を掴みフロントを呼んだ。

すでに夜は明け始めている。凛子は救急車で病院に搬送された。

部屋にホテルの従業員や救急隊員が来るやらで、寝てもいられなくなった母は、病院まで付き添う形で同行した。

それはそれでいいのだが、母は病院に着くや否や「娘がかわいそうだ」と嘆き、「私も寝ずに看病したけど、どうにも痛みが治まらない。早く何とかしてやって！」。大声で叫びながら病院内を動き回り、医師や看護師たちを困らせている。

痛みと吐き気で朦朧とした意識の中で凛子はうんざりしていた。

助けを求めてあれほど起こしても起きず、手も貸してくれなかったのに、また周囲に「悲劇の母」を演じている。もう、こんな母親の姿を見たくもない。

恨みがましさが募る一方の凛子は、騒ぎ回る母吟の姿を目で追っていた。

凛子は「割烹陣屋」の女将、いわゆる社長見習いの立場だが、吟のたっての頼みで近々跡を継ぐ。

そんなある日、凛子は事務所で経理担当の中村雪子と売上、売掛、仕入れ台帳などの帳簿を見ていた。そこにちょうど入ってきた吟が二人を見咎めた。

雪子を烈火のごとく怒鳴りつけ、同時に怒りの矛先を凛子にも向けた。

「出て行きなさい！」

事務所から追い出された凛子としては、少しでも早く店の経営状態を把握した上で、スムーズに引き継ぎたいと思っていたのだ。しかし社長の吟にとっては、自分の知らないところで帳簿を見られるのが気に入らなかったのか、それとも見せたくはなかったのか――。赤の他人が、というのではない。自らが「次期社長」にと指名した私が見ていただけではないか。凛子は、あれほど怒る吟が解せなかった。

割烹の跡取りを承諾する条件として、母の吟から提示された待遇に関する事項があった。見習い期間中の日給は一万円とすること、息子の壮太郎の子守を雇って経費も吟が負担すること、などだ。しかし、この約束はいとも簡単に反故にされ、今の凛子の日給は六〇〇〇円、子守代も自分で支払っている。

割烹とクラブ――二店舗を経営するに当たって凛子には、これまでの経験値を踏まえた考え方がある。

かつて凛子は、店の従業員から借金を申し込まれたことが度々あった。そんなとき、経営者として大事な従業員たちの窮状をいつでも助けられるよう、常に「貯え」を準備しておくべきだ、と思っていたのだ。

以来、凛子は「しっかりお金を貯めて力をつけよう」と考え、極力無駄遣いはせずに貯蓄することを心掛けてきた。

お陰で今、母吟の裏切りで日給を減額されようとも、パリに行く前からの「蓄財」によって、子どもを抱えていても困らない程度の余裕が持てている。

加えて順調な「くらぶ凛子」が心強かった。


凛子が「有限会社陣屋」の社長に就任する昭和五十八年は、自然災害が日本列島の各地で起きた年でもあった。

五月には秋田県沖でマグニチュード（M）7・7という当時最大級の「日本海中部地震」が発生し、一〇メートルの津波で秋田、青森を中心に一〇〇人の死者を数えた。

また低温状態が続いた梅雨末期には山陰地方を中心に「七月豪雨」災害があり、長野県北部でも大雨に見舞われる。

そんな梅雨がようやく明け、初夏を迎えていた。

「凛子社長」が誕生する九月末決算に向けて準備などに忙しい日々が続いていた。中でも現社長、母吟との引き継ぎに伴う「取り決め」については、特に入念な話し合いを持っていた。

これまでも吟の手によって決め事をことごとく覆されている。同じ轍を踏まないためにも凛子は、念には念を入れて確認し合うことで「予防線」を張ろうとしていたのだ。

中でも重視したのが、「割烹陣屋」を引き継ぐに当たり凛子が要求し、吟も承諾している条件――「今の従業員はそのまま雇用する」こと、「吟名義の陣屋の建物を一〇〇〇万円で会社名義に変更する」ことの二点を俎上に載せた。

殊に「名義変更」の件は、何事を置いても実現しなければならない最重要事項だった。名義を書き換える吟には一〇〇〇万円が手元に入る。社長を退任した後も安心して暮らせるようにと凛子が配慮したものだ。

ところが話し合いを進めるうちに吟は、すでに了解していた一〇〇〇万円では不服だと言い出し、「一五〇〇万円欲しい」と要求した。

また始まった、と思った。しかし凛子はこうも考えたのだ。母の吟が喜んでくれて将来も安心できるというのなら、それを叶えるのも娘の役目かもしれない、と。

凛子は最終的に一五〇〇万円の要求をのんだ。

十月、有限会社陣屋の社長に就任した凛子は「割烹陣屋」の女将となり、母吟は「大女将」と呼ばれるようになる。

世代交代は順調に行われた、と思われたのだが……。

「あんなお金は、私の『退職金』だからね」。吟は言い放った。

ある日、約束だった陣屋の建物の「名義変更」をするために吟の部屋を訪ねた凜子は、揃えた書類を卓袱台に滑らせて差し出した。すると吟は書類を一瞥しただけでシラっとひと言、「ハンコは押さないよ」。

意表を突く言葉に凜子は最初、吟が何を言っているのかさっぱり分からなかった。建物の名義変更には応じない、という意味を理解するまで、多少の時間を要した。

「ねえ、もう一五〇〇万円も渡してあるのだから、書類にハンコを押してもらわないと困るのよ」と、慌てて説得しようとする凜子をあざ笑うように、吟が投げつけた言葉が「あんなのは、退職金」だった。

「約束と違うじゃないの!」。詰め寄る凜子に、開き直る吟――

「約束なんて、破るためにあるんだよ!」

平行線をたどりまったくかみ合わない〝話し合い〟は何回にも及んだ。全ては徒労だった。凜子はようやく騙されたことを悟る。

母親が実の娘に対して行ったあまりに酷い裏切り行為だった。溢れ出る涙は泣いても、泣いても枯れることはなかった。

私はどうしたらいいのだろう？　凛子は皆目見当もつかなかった。

母の吟は、何事もなかったかのように毎晩、お座敷に出て艶やかな笑い声を響かせている。それに引き換え凛子は対照的にこの一件を引き摺っていた。あっけらかんとした「大女将」吟の横で見せる「女将」凛子の笑顔は、たぶん引きつっていただろう、と自分でも思う。母の吟は凛子の写真をそれこそ肌身離さず持っている。会う人、会う人に写真を引っ張り出しては見せて、「跡取り娘」の自慢話を滔々と始めるのだ。

これが一つの「営業ツール」と、頭の中で分かっていても心のどこかでは、「やはり母は私のことを大切に思ってくれている」ことを信じたかった。

母吟に対する凛子の愛憎の念は激しく入り乱れていた。

「『割烹陣屋』の『女将』です」

凛子のこうした挨拶が、どこでもどの場面でも無理なく板につき始めていた。

最近は吟を気にすることなく、日々の伝票や帳簿などに目を通すことができるようになっていたのだが、その帳簿類から凛子は仰天する陣屋の実態を知る。

魚屋、八百屋、酒店など主だった仕入れ先の支払いが、実に半年も滞っていたのだ。

やんやの催促に、事もあろうに母吟は「社長が交代すれば、娘が責任をもって一括払いする」と言って、仕入れ先を説得していた。我慢に我慢を重ねて社長交代を待っていた仕入れ業者は、我先にと新社長の凛子に「すぐにも支払ってほしい」と請求してきた。

支払いを巡る問題はこれだけでは済まなかったのだが、凛子は毎日の仕入れ料金に未払い分を少しずつ上乗せして返済していくことで、取り敢えず了解してもらおうと考えた。

凛子は畳に頭を擦り付けてお願いした。ほどんどの業者が渋々ながら承知してくれた中で、近所の北条酒店の女主人だけは「一括して支払ってもらえなければ、これ以上の取引はできません」とばかりに、頑として受け入れなかった。

「支払わなかったのは母で、これからの約束事は私が責任をもって返済していきますから……」。凛子の必死の弁明も、女主人の耳には最後まで届かなかった。

仕入れを断たれた酒類は、「くらぶ凛子」の取引業者に切り替えて何とか急場を凌いだ。

それ以来、通りでよく顔を合わせる女主人だが、凛子の挨拶にもプイッと横を向いて無視するようになった。

ここまで生きて来て他人から顔を背けられることなど一度もなく、ましてやお金のことでと思うだけで、凛子は情けなさに打ちひしがれた。

大勢の客で繁盛している「割烹陣屋」のうわべばかりを見て、内実をほとんど把握しないまま、経営を引き受けた凜子の甘さを突くような事態が次々と起こる。

事務所内で常に定位置を占めている手提げ金庫があった。通帳やら証券やら店の財産といえる類がしまわれている、と聞いていた。ある日、それを確認しようと思い立った凜子は、手提げ金庫を開けてみることにした。

まず目にしたのは、金庫の底にあった一通の定期積立通帳だった。通帳を開くと三五万円の残高が記載されているものの、積み立ては去年からストップしたまま。次に手にしたのは黄土色した古ぼけた郵便保険証書で、二年後の満期には六〇万円が受け取れる。

「エッ、ウソでしょ！」。凜子は思わず声を上げてしまった。手提げ金庫にあった「陣屋」の〝全財産〟は、合わせても一〇〇万円にも満たない通帳と証書の二通だけだった。

驚愕の事実はこれに留まらない。

銀行に月々返済する長期借入金の三五〇〇万円が残っているところにきて、さらに返済の見込みが立たない手形借入金が、吟によって去年一年の間に三〇〇万、三〇〇万、三五〇万円と三口に分けて、合わせて九五〇万円も増やされていたのだ。

凜子の「悲鳴」は止まらない。

弟の雄一を後継者に据えることを諦めた母は、彼を独立させるため長野市三輪田町に一軒家を買い与えた。そのローンの残金が一八〇〇万円あって、それも跡取りとして凛子が返済せざるを得なかった。

母の吟は、陣屋以外にも「コーポ　ウエストハーバー」という一棟のマンションを保有しているのだが、建設時の資金繰りのためにほとんどの部屋を分譲した。そのうちの一部屋を購入した長野貴美子という陣屋の従業員が、結婚して名古屋に移住することになり、吟は頼まれて五〇〇万円で買い戻すことにしていた。

買い戻す五〇〇万円はもちろん、マンション建設時に銀行から借り入れた未返済分の約八五〇万円を含め約一三五〇万円が、吟に代わり新社長の凛子に返済する責任が負い被さる。

その上、買い戻すマンションの一部屋は、母の鶴の一声で弟雄一の名義になった。こうまでされても情に厚い凛子は、「弟のためになるのなら、それでもいい」と受け入れていた。そして問題は遂に「使途不明金」にまで及ぶ。その額、昨年の会計年度で九〇〇万円に上っていた。

これを指摘した深田税理士に、凛子は「母に問い質してほしい」と頼んだが、こんな言葉でそれとなく断られてしまった。

「あの『社長さん』は、誰の言うことも聞かない人ですからね」と、税理士もまた母の吟には匙を投げていたのだ。

一五〇〇万円で「割烹陣屋」の建物を吟名義から会社名義に変更する話も、吟は金を受け取りながらも「あれは退職金」と言い張り、名義の書き換えは頓挫したまま。凛子が畳に頭を擦り付けて泣いたり、大声で怒ったりしても、耳を貸す吟ではなかった。

例えば、家督を子どもに譲る場合、普通の親はなるべく借金などの負担を軽くして引き継ごうとするものなのに、母の吟は真逆だ。この際とばかりに借金をできる限り膨らませ、その「負の財産」を懇願して跡を取らせた娘の凛子に全て押し付けた。

凛子は〝だまし討ち〟に遭ったようなものだった。それも一度や二度の話ではない。吟に対する絶望的な寂しさ、行き場のない悔しさが、波のように交互に打ち寄せる。凛子は連日、絶え間ない眠れぬ夜を過ごした。

理由はどうあれ、今や「有限会社陣屋」の社長の椅子に納まった凛子は、まずは借金まみれの経営状態から脱することを最優先の経営目標に掲げた。そして、自身の預貯金を取り崩して用意した二五〇〇万円を会社に注入し、何とか健全化を図った。

内実とはかかわりなく「割烹陣屋」は、幸いにも繁盛を続けている。

凛子は、食材の仕入れから板前との料理の打ち合わせ、仲居の教育までまめまめしく立ち働く。一方では、クラブ経営とはまた違ったコミュニケーションの取り方で、従業員との意思疎通を図るよう心掛けた。

夕方五時半ともなれば大勢の客がどっと店に押し寄せる。厨房など裏方の現場は戦場のような忙しさとなる。こうした中で女将の凛子は、大女将の母吟と連れ立って各部屋を挨拶に回る。

お座敷では互いの確執を隠して笑顔を振りまくのだ。

「これからも、母娘ともども、どうぞご贔屓（ひいき）に……」

「割烹陣屋」の給料支払台帳を見ていた凛子は、仲居のあまりに低い給料に驚いた。相変わらず会社の資金繰りは厳しかったが、少しでも給料を上げなければならないと考えた。

「仲居さんの給料を少し上げたいと思っているの」

凛子は前社長の母吟に相談した。

「本当に普段から良くやってくれているからね。でもお前、『給料上げてやるからね』と言葉で言っているだけで、いいんだよ」と吟は信じられないことを口にする。「それでも、どうしても上げるというなら、日給一〇円でも五〇円でもいいからね」。

凛子は自分の耳を疑った。つい最近まで社長を務めていた人の言葉とは、到底思えなかった。日給が平均八〇〇〇円の「くらぶ凛子」のホステスと比べようもないが、「割烹陣屋」

の仲居は平均二五〇〇円。凛子はせめて五〇〇円アップの三〇〇〇円ぐらいにはしたい心づもりだった。

常日頃から客に「この店は、従業員が長く勤めているのが何より素晴らしい」と感心されている。現に従業員たちは長い間、女将としての吟を尊敬し、女将の言うことを絶対に正しいと信じて疑わなかった。

しかしそれは幻想なのだ。「表の顔」で従業員たちの全幅の信頼を勝ち得た吟だが、半面で〝搾取者〟の経営理念に捉われた「裏の顔」を持っていた。

最終的に日給を一〇〇円アップすることで落ち着いた。

吟には相談すべきではなかったと後悔する思いと、前社長という立場を尊重する上で筋を通すことは必要だったとの考えが、凛子の中で交錯していた。しかし、わずかな引き上げ額ではあったが、猛反対の吟に対抗する今の凛子にとって、これが精いっぱいの〝成果〟と言えた。

ところで凛子は、吟に対して社長交代後もお座敷に出ることを条件に、月々三〇万円の給料を支払っていた。

木枯らしが吹き始め「恵比寿講」のころになると、信州では初冬の風物詩「野沢菜漬け」

が始まる。

「皆を代表して、お前に頼みたいことがあるのだよ」と、ある日、殊勝顔の吟が珍しく伺いを立てにやって来た。「今度の土曜日に朝から皆で集まって『野沢菜漬け』をやりたいんだけど、お昼にラーメンの出前を注文してもいいかね？」。

凛子は大感激した。

「『陣屋』の従業員たちって素晴らしいわ。こちらから頼まなくても、あんなに大変な『野沢菜漬け』を進んでやってくれるなんてありがたいわね。ラーメン？　もちろんオッケーよ。注文してあげて」

従業員総出で行った野沢菜漬けの作業から三か月ほどが過ぎた。年が明け、その野沢菜が「古漬け」と呼ばれ盛んに食卓を飾っているころ、清子という一人の仲居が、凛子に「折り入って話したいことがあります」と言ってきた。

話したいことは二つあるそうで、いずれも「大女将」のことだと言った。

一つは昇給に関してのこと。日給が一〇〇円上がった最初の給料日、従業員たちは各自凛子から給料を手渡されたが、少し時間を置いて吟から招集がかかったという。もちろん凛子のいないところでだが、昇給について吟は集まった従業員たちにこんな風に説明した。

「この度、皆の給料が上がったのは、私が凛子に頼んで上げてもらったのだからね」

吟は得々と語り始めたそうだ。「そのとき凛子は『今はとても給料を上げられる状態ではない』と言ったけど、私がどうにか説得して給料を上げさせたのだからね」。感謝は私にしなさい、と言わんばかりだったという。

もう一つは野沢菜漬けの作業を巡ってのことで、吟が従業員たちに喋って回っているという話の内容だった。

「凛子は、『野沢菜漬けを皆がやるのは当たり前のことだから、お昼のラーメンなんかは必要ない』と言ったけど、私が凛子と交渉して『ラーメン』を注文したんだからね」と恩着せがましく言いふらしているそうだ。

凛子は愕然とした。が、しかし続く清子の話は、落ち込む凛子を元気づけるのに十分だった。野沢菜漬けの作業が済んでから、凛子が事あるごとに「野沢菜漬けでは、皆の方から申し出てくれて本当に感激したわ」と口にしていたことや、大女将の凛子に対する酷い態度が最近目に余るようになっていることなど、従業員たちにとって「絶対」だった大女将の言動に疑いの目を向け始めているという。

「『大女将』の言っていることはおかしいよね」。休憩時間の茶飲み話にも上ることが多くなったと、凛子を励ますように清子は話してくれたのだ。

吟の言葉の巧みさには到底勝てるものではないが、誠実にさえしていれば、いつか誰かしら分かってくれる──。

凛子は久しぶりに爽やかな息吹に触れた思いがした。


清子の話を聞いてからというもの、凛子は「割烹陣屋」の従業員たちがとても身近に感じられるようになった。しかしその半面で、母吟への悔しさは心の底に澱（おり）のように積もり、そしてついには「割烹陣屋」を辞めたい、と思うまでになった。

凛子は、いつまでも影響力を及ぼす吟の「陣屋」という店が嫌になっただけで、「割烹業」自体が嫌いなわけではない。割烹業には、商売としての旨味や面白さに加えて楽しさを覚えていた。

「いっそのこと、長野市内に新たな『割烹店』を開店させたい」という思いが凛子の中に芽生え始め、次第に強くなっていく。「陣屋」を辞めて母と決別した上で、あえて競合する「割烹店」を新たに出店するという一大決心だった。

これまで凛子は、母とのいざこざなど誰にも話したことはなかった。だからこそ計画の全てを話して相談できる相手がほしかった。

常連客に凛子と同じ境遇──親から観光会社を引き継いだ高木という社長がいた。凛子はこれまでの経緯を説明して助言を求めた。

凛子の話を黙って聞いていた高木社長は開口一番、母吟の凛子に対する仕儀は「信じられない」と言った。

その高木社長は「親なんていうものは、この後、数年も我慢すれば、段々大人しくなるからね」と言いながら、「凛子さんには子どももいるのだから、今の立場を大切にしなくちゃね。親のやることには我慢して、頑張りなさい。一〇年もすれば凛子さんの天下になるんだからね」と諭した。

母吟が娘凛子にしてきたことをいくら話しても、世間の理解が及ぶところではないことを凛子は悟らされた。

赤の他人に対する以上に酷い仕打ちを実の娘に繰り返す母親なんて、この世の中にそういるとは考えられない。いや、普通は想像すらできないだろう。親は子どもに目いっぱいの愛情を注ぐもの—と、相場は決まっているのだから、事実を語れば語るほど「娘が嘘を言っている」ことになってしまうのが関の山だ。

凛子は「割烹陣屋」を辞めるべく、母の吟と対峙した。

一五〇〇万円もの現金を受け取ったにも関わらず、「陣屋」の建物の名義変更に応じないことなどを理由に、凛子は「『陣屋』の社長は辞めるわ。跡は取りませんから」と宣告。その上で、吟がこしらえた借金返済で会社に用立てた二五〇〇万円を返すよう要求した。

「お前は何を言ってるの！」。凜子より一枚も二枚も上手の吟は動揺すらしない。「お前が社長として勝手に会社につぎ込んだものを、今更『返せ』なんて言われても、返せるわけがないでしょうが」と一蹴された。

胸を膨らませていた新たな割烹店構想は、開き直る吟のこのひと言で〝財務計画〟がガラガラと音を立てて崩壊していく。

希望を見失い重い気持ちを背負った「お座敷」は、凜子には息苦しさしかなかった。

失意の凜子を唯一支えたのが息子、壮太郎の存在だった。だが、その壮太郎の面倒を見てもらう「子守」に凜子は大いに悩まされていた。

凜子は「割烹」が終わると、その足で「クラブ」へと向かい勤務する。大雑把に言うと夕方五時前から深夜零時過ぎまで店に出ている。

最低でもこの間、通いで子守をしてくれる女性は、凜子にしょっちゅう小金をせびる人だった。その都度、仕方なしに用立てていたのだが、そのうち無断欠勤が目立つようになったと思ったら、貸したお金を返さないまま来なくなってしまった。

困っていたところに折よく、人づてで敏子という小母さんが見つかる。敏子も通いの子守で人柄は良かったが、酒好きが玉に瑕だった。

まだ喋ることもできない壮太郎に聞くわけにもいかないが、ちびりちびりと飲みながら子守をしていたようだ。それが証拠に、凛子が深夜に帰宅すると、敏子はヘロヘロに酔っぱらっていて夕食の食器も洗ってない。辺りに空っぽになった酒の瓶がころがり、やたら機嫌よくお喋りを始めるのだ。

「子守をしている時間は、お酒を飲まないでほしいのよ」と言う凛子の注意も、キッチン・ドリンカー気味の敏子には効き目がなかった。

代わりの子守が見つかるまでの間、壮太郎の面倒は勝手場で配膳係をしている信子に見てもらうことにした。おやつのニンジンやセロリのスティックを手に持った壮太郎は、信子におんぶされて店内を行ったり来たりしていた。

子守を見つけることはかなり難しかったが、期せずして求人情報を見たという女性が面接に訪れた。

ニコニコ顔の女性は二十二歳と子守には若い感じがしたが、保育士の資格を持っていて「子どもは大好きです」と明るく答える。訳があって新潟県妙高から来たので住み込みで働きたいという。

「訳があって……」と言ったところに、若干引っかかるものはあったが、凛子には願ったりかなったりの子守だった。

凛子は、この女性を「まこちゃん」と呼んだ。

彼女の仕事ぶりは素晴らしかった。住み込みだったので子守以外に家事全般を取り仕切ってくれた。しかも、これまでの子守とは異なり、困ったことや目に余ることはまったく見当たらず、凛子が注意したり怒ったりすることは一度としてなかった。全てにおいて安心して任せることができたのだ。

凛子は彼女のことを妹のようにかわいく思っていたが、一つだけ気になることがあった。上田に嫁いでいる姉以外、長野に知人はいないと言っていたのだが、毎週日曜日になると決まって外出するのだ。

外出の理由が分かったのは、しばらくしてからだった。凛子と世間話をしていて彼女がポロリと打ち明けたのだ。

彼女、まこちゃんは、長野に来る前は妙高にある会社に勤めていたのだが、その会社の社長と不倫関係に陥ってしまった。好きになればなるほど罪悪感を深めた彼女は、社長との関係を断つため逃れるように長野に来たのだという。

凛子の元で落ち着いた生活を送るうちに、彼女の方から社長に連絡をしてしまったそうだ。それから再び会うようになり、社長が長野に来たり彼女が妙高に行ったりする関係が続いているという。会社経営は思わしくないようだが、社長は離婚して一緒になりたいと言っているそうだ。

凛子は「縒りを戻さない方がいい」とアドバイスしていた。もちろん彼女の将来を心配してのことだが、彼女を手放したくないというのが正直なところだった。

何か月か経っただろうか。彼女が起きてこないことを不審に思った凛子は、部屋をのぞきに行ってみると、室内はすっかり片付けられていて、当然のように彼女の姿はなかった。

「ママ、ごめんなさい」。便箋が一枚残されていただけだった。

凛子は、頭からすぅっと血の気が引いていくのが分かった。あれほどの責任感があって非の打ちどころもない彼女が、子守の仕事を突然放り出して黙っていなくなるなんて……。

信じたくない現実を突き付けられた凛子は、大きなショックに打ちのめされた。文字通り〝もぬけの殻〟となった部屋に立ち尽くした。

そうして数日後、知人を介して花森みえ子という小母さんが、新たに住み込みで壮太郎の子守をしてくれることになった。

第十三章　母の独立「おふくろの味」

母の吟は、「割烹陣屋」のすぐ近くに所有する「コーポウエストハーバー」の二階に居住している。

このコーポの地下にはかつて三軒の飲食店が入っていたが、今はいずれも空き店舗になっている。吟は、ここに自分の店を出したいと思い始めていた。

「割烹陣屋」と「くらぶ凛子」の二店を経営し、掛け持ちで忙しくも生き生きと働く凛子の日常を、吟は傍で羨ましい思いで見ていた。

「私も凛子のように働きたいので『陣屋』とは別に自分の店を持ちたい」

あるとき吟は、こう口にしてコーポの地下に「おふくろの味 吟」というスナックをオープンさせた。

吟は変わらず夕方には「割烹陣屋」に出勤した。ただ、これまでと違ったのは、お座敷でひとしきりスナック「おふくろの味 吟」の宣伝をした後、そのまま客を連れて腕を組みながら自分のスナックに向かう――。こんなパターンが常態化したことだった。

「割烹陣屋」の台所は、戦場のような慌ただしさで料理の出し下げが佳境に入っていた。そんな喧騒に突如いさかいが加わったのだ。

言い争う怒声を聞いた凛子は、何事かと思い急いで台所に駆け付けると、大女将の母吟と仲居頭の勝美が、互いに物凄い形相で文字通り口角泡を飛ばしていた。

「今は営業中なのよ!」。二人に割って入った凛子は、取りあえず店が終わってから冷静に話し合うことにして、いったんこの場を収めた。

約束したとおりに凛子は、店を閉めてから喧嘩の原因について話し合いの場を設けた。大女将と仲居頭という責任ある立場の者同士が争いの当事者だけに、従業員用の部屋には仲居たちなど皆が集まっていた。

「自分を贔屓にしてくれている県の部長に大女将が体を摺り寄せて誘惑した」との勝美の言い分に対して、大女将の吟は、「私はそんなことはしていない」と突っぱねる。

お客の取り合いが事の発端だった。

割烹店には仲居の指名制度はないのだが、勝美にしてみればこの部長は「私の客」だった。部長もまた勝美に好意を抱いていることは傍目からも明らかで、彼女が「今晩来てね」と誘えば、必ず応えて店に顔を出すような間柄なのだ。

私がその気になれば振り向かない男はいないはずだ、と思い込んでいる吟が、勝美しか見ていない部長を自分のものにする画策をしたとしても不思議はなかった。

吟と勝美は、気が強くて気性の荒いところはそっくりだった。二人が感情的になったらもう誰の手にも負えず、互いに言い張って一歩も引かない。

そうはいっても、今回の吟は圧倒的に分が悪かった。部長を口説いている現場を勝美本人だけでなく他の仲居たちも目撃している。さらに決定的なのは、当の部長自身が「大女将に口説かれちゃったよ」などと話していたことだった。

色気を使ってでも吟は強引に部長を「誘惑」するつもりだったはずだ。吟は昔から他人のものを取り上げても平気だった。そんな習性が顔を現したのだと考える凛子にしてみれば、吟が「ちょっかいを出した」ことに、まず疑いはなかった。

また一方の勝美にしても、色仕掛けで部長を大女将に「奪われる」と思ったとしても無理からぬことだった。

追い詰められた吟は、鼻息荒く口から怒気を吐き出すように「私は、今日限りでこの店を辞める！」と、何度も勝美に向かって繰り返した。

「そうね。大女将が辞めないなら、私が辞めるわ！」。勝美は勝美でプンプンして顎を上げて対抗した。

二人の間の亀裂はすでに埋めようもなく広がっている。

母吟が「辞める」とタンカを切ったことに凛子は正直驚いた。窮地に追い込まれ意図せず飛び出した言葉だろう、とは思いながらも考えた。

「吟が辞めてくれたらどれほど楽になるだろうか」と心の中でつぶやく凛子は、吟を押し止めるようなことは一切しなかった。

実際、このところの吟には手を焼いていたのだ。凛子と従業員の仲を裂こうと何やら醜い画策をするなど、その〝暗躍〟ぶりに困り果てていた。

この際、大女将には「割烹陣屋」から退いてもらおう――。

今回の一件では、従業員のほとんどが大女将の非を認めていることも、凛子の判断に正当性を与えた。

「これからは、スナック『おふくろの味 吟』の経営に専念してちょうだい」

凛子の勧めを吟は渋々受け入れたものの、「お前は勝美を選び、私を辞めさせた」と言い張り、凛子を責め続けるのだった。

母の吟が「割烹陣屋」に顔を出さなくなってから、これまでみたいに心病むような問題に煩わされることもなく、凛子は仕事に専念していた。

振り返ってみれば、そんな平穏な日々は「束の間」だった。

ある日、商売にいそしむ凛子に従業員の文子が「『陣屋』を辞めさせてください」と言ってきた。

ころころとした体で真ん丸な顔の頬は常に赤く、いかにも「田舎のおばさん」の趣をしている文子だが、いったん「お座敷」に出れば話術や歌が巧みで、独特の味わいが客の心を掴んでいた。

人気者の文子に辞められては、店にとって大きな痛手を被ることが分かっている。凜子は本気になって引き留めながら辞める理由を質した。

すると文子は、大女将から「ウチの店に移ってきなさい」と誘われたと答えたのだ。私にとっての大女将の存在は絶対的なのだとも言った。

「大女将に言われれば拒否はできません」

文子の一件を皮切りに、「辞めたい」と言い出す仲居が次から次にと現れた。

不審に思って従業員に理由を聞きまわった凜子は、母吟が裏で操っていることを突き止めた。

吟は「陣屋」の仲居をそれぞれ呼び出しては、「あんたの給料は、日給二六〇〇円だろう。ウチのスナックでは三〇〇〇円出すから『陣屋』を辞めて移ってきなさい」と言って、一本釣りしているのだった。

前社長の吟は、彼女たち一人一人の日給は先刻承知だ。凜子の昇給提案にも反対して長く据え置いてきていた張本人なのだから。

そうこうしているうちに、仲居たちの間に妙な競争心が〝蔓延〟し始めたのだ。

「私はね、日給ウン千円で来ないかって言われたのよ」とか、「私なんか、これだけ出すから移ってきなさいって誘われたの」等々、見栄を張り合う光景が見られるようになる。

仲居たちにとって吟から引き抜きの声が掛かることが一種の「ステータス」となり、そうでない仲居たちは肩身の狭い思いに追いやられた。現場は一時、収拾できないほど落ち着きを失った。

最終的に凜子は、何とか皆を思い留めさせることに成功した。しかし肝心の一番人気の文子だけは「おふくろの味 吟」に奪われてしまった。

吟に懇願されて「割烹陣屋」の跡目を継ぐ条件として凜子は、従業員たちは継続して雇うことを掲げ、吟もこれを受け入れた。従業員個々人もまた「陣屋」を辞めることなく、引き続き新社長の下で働くことを確認し納得していたはずだった。

今に始まったわけではないとは言え、母吟の裏切に慣れるはずもない凜子は、いつまでも腹の虫が治まらなかった。

どこまで厚顔無恥なのだろうか。凜子が呆れるほどあっけらかんとした母の吟は、散々にかき回した「割烹陣屋」に毎日のように顔を出し、従業員部屋に出入りしている。

従業員たちとのお茶飲み話は許せるとしても、その後、必ず勝手場に入って黒板に書かれた当日の予約客や人数を盗み見するのだ。そして、予約客に片っ端から電話を入れて〝勧誘〟した。

「『陣屋』の宴会が終わったら、必ず『おふくろの味 吟』に来てね」

吟は、ほぼ強引に約束を取り付けた。

そのうちに、「陣屋」に来れば必ず「おふくろの味 吟」に行かなければならないのか、といった苦情が凛子に寄せられるようになる。客からは「二店セット」と誤解されていたのだ。

店が休みとなる毎週日曜日、吟は凛子の所に泊まりに来ていた。折を見て凛子は、客からの苦情を話して「もう、こんなことはしないでよ」と、くぎを刺した。

「うるさいなぁ、分かったよ！」。吟はコバエを振り払うように言い捨てた。

「割烹陣屋」を引き継ぐ際に取り交わした、さまざまな約束のほとんどが不履行となっていることから凛子は、母の吟を会社の役員から外し何の権限も持たないようにした。

それでも「お座敷」を務めることを前提に支払っている吟への毎月三〇万円の給料は、「陣屋」を辞めて自分のスナック「おふくろの味 吟」に専念する現在も、そのまま変わらずに渡している。

凛子は、こうした吟への「優遇」を改めなければならないと思い始めていた。

特に未だ履行されていない「陣屋」建物の名義変更は、その対価として支払った一五〇〇万円を「退職金」だと言い張る吟は、会社名義への書き換えに応じていない。その上、一五〇〇万円を決算で「退職金」として処理されてしまっている。

従って、退職金を受け取りすでに役員でもない吟に、しかも「陣屋」での労働実態もない給料を「なぜ、支払うのか」。さらに加えて吟は、「陣屋」を盛り立てるどころか妨害する「敵対行動」に明け暮れているのだ。

そもそも給料をもらう資格もない吟に、いつまでも給料を出しているのはおかしい——。凛子の考えは固まりつつあった。

こうした中で、凛子が手提げ金庫を確認して見つけた、額面六〇万円の郵便保険が満期を迎えていた。

このため満期の手続きをしようと郵便局に出向いた凛子は、窓口で局員から思いがけない言葉を聞いた。

「この保険は、すでに満期で全額お支払い済みです」

「何かの間違いでは？」

凛子は持参した保険証書などを見せて説明を求めた。答えて局員が言うには、吟が証書の「紛失届」を提出した上で、全額を受け取って帰ったという。

預貯金を食いつぶし、借金は増やすだけ増やして、会社を凛子に継がせた吟だが、手提げ金庫の底に隠れるようにあった古びた郵便保険証書のことは、さすがに「忘れているだろう」と高をくくっていた。が、しかし凛子の思惑は見事に外れた。しっかり覚えていた吟に、まんまと先を越されてしまったのだ。

「もう、お給料は渡せませんから」と凛子は通告した。

これを聞いた吟は半狂乱の体で、「そんなの、認めない！」と激高して大騒ぎとなった。

こうなった場合の吟を止められるのは、もはや東京の伯父しかいなかった。伯父は吟の長兄で日下建機という会社の社長をしている。吟が尊敬する唯一の人だった。

凛子は伯父に連絡をして長野まで来てもらうことにした。伯父ならば、私の話をしっかり受け止め、母の吟を諫めてくれるだろうと、仲裁を期待して依頼したのだ。

伯父を中に立て三人の話し合いが始まった。

まず凛子は、カクカクシカジカとこれまでの経緯を説明した上で「これからは給料の三〇万円は渡せない」旨を伝えた。

この間も吟は口を挟み「私はそんなことしていない」と騒ぎ、伯父に宥められてもなお治まらない。「三〇万円がもらえなければ、あしたからどうやって生きていけばいいの。あしたからどう食べていけばいいのよ」。最後には畳にうつ伏して「わあわあ」と泣き出す始末。

吟の泣き落としは常套手段だ。手の内を見透かす凛子は筋道立てて吟の言い分を質す。「『おふくろの味　吟』は毎日、大勢のお客様が見えて繁盛しているじゃないの。そんな心配はいらないでしょ」。

双方の話を聞き終えた伯父は、開口一番「お前のやっていることは、まったくのモラル違反で話にもならない」と、まず吟の非を指摘してから、噛んで含めるように諭す。

「凛子の言っていることはもっともなことだ。お前が反省して二度とこんなことをせずに、自分のスナックの営業をしながら『陣屋』の後押しもしなければならない立場なのだぞ」

母の吟は打って変わって、いつにない殊勝な表情で伯父の言うことに「うん、うん」と頷く。

そんな吟の態度を確かめた伯父は、今度は向きを凛子の方に変えた。これから話すことをよく聞いてほしい、とでも言うように――

「と、言うわけでね、吟も大いに反省しているようだし、三〇万円もらえなければ食べていけないというのだから……どうだろう？　今回のペナルティーとして今の給料を一〇万円減らして二〇万円とすることで、納得してもらえないだろうか」

そして伯父は、こんな提案をした。

「また問題を起こしたそのときには、給料をカットするということにしては？」と。

同意を求める伯父を、凛子は民事裁判で争議の和解案を提示する裁判官とダブらせた。

もちろん裁判の経験はなかったけれど……。

凛子の正当性を認めつつ、一方的に吟を責めるのでもなく、共に顔の立つよう最低限の配慮を施した伯父の見事な裁定を、凛子は了承した。

「伯父に仲裁を頼んで正解だった」と心から思った凛子は、あらためて伯父を仰ぎ見た。

第十四章　陣屋コネクション

背負わされてしまった膨大な借金の返済に凛子は追われていた。

朝食を済ませた凛子は、午前九時「割烹陣屋」の事務所に顔を出す。まず最初に目を通すのは一番知りたい昨晩の売上伝票。併せて帳簿など帳場に関わる諸々の書類をチェックする。次にするのは当日の予約状況の確認で、予約が少ないと思えば凛子自ら誘客の電話を入れる。

それから勝手場に行き、板前と料理の打ち合わせを済ませた後は、銀行回りなど時々のルーティンを果たすために外出する。

兎にも角にも一組でも多くの客を確保して、売り上げを伸ばさなければならなかった凛子は、自ら調理師免許を取り、毎日異なる一品を「女将の料理」と称して提供するなど、「割烹陣屋」ならではのオリジナリティーに富むおもてなしに努めた。

「陣屋」には事務員が三人いた。番頭的な役割の加藤という男性とパートで主婦の小林、そして山本咲子。そこに凛子が加わり四人で机を囲んでいた。

このうち咲子は、かつて「くらぶ凛子」の事務をやっていて何度か使い込みをしたことがあった。だが、「もう一度、働かせてください」と泣きつかれ、二度とやらない約束をさせて雇ってあげたのだ。凛子は「真面目」を絵に描いたような加藤に、咲子の使い込みに目を光らせるよう監視役を頼んでいた。

通常、凛子が事務所仕事に一段落をつけるのが午後一時過ぎ。店のあるビル三階の自宅にいったん戻る。息子の壮太郎と一緒に昼食を済ませてから、決まってきっかり一時間の昼寝タイムを取る。夜に備えてリフレッシュを図るのだ。

入浴、化粧、髪結いを済ませる。かつて母吟が出勤前、鏡に向かってしていたように、着物姿で帯締めをキュッと引き締めると、表情はキリッと一気に女将の顔へと切り替わる。そして凛子は「割烹陣屋」の〝戦場〟へと赴くのだ。

「陣屋」では、各部屋を順繰りに次から次へと回る。挨拶をして差しつ差されつ盃を重ねて楽しくもてなす。飲めない酒でふわふわと雲の上を歩くような心地で、さらなる戦場へと階段を下りる。

「くらぶ凛子」で最初にすることは、ホステスがちゃんと出勤しているかどうかの確認だ。皆の顔つきはどうだろう、客対応に問題はないだろうか……と、ほろ酔い気分の中でも店の隅々、客の一人ひとりに目を配る。

割烹「女将」からクラブの「ママ」の顔に変わった凛子は、テーブルからテーブルへと渡り、饒舌によもやま話に花を咲かせてもてなす。

深夜零時「閉店」。同じビル地下の店から三階の自宅に垂直移動して戻るのだが、どうしても午前一時は回ってしまう。着物を脱ぎ捨て、髪をほどき、顔を洗うのがやっと。そのまま壮太郎の眠るベッドに潜り込んで、凛子の一日は終わる。

ホステスが店を辞めたいと言ってくる。ホステスが引き抜かれたと報告が上がる。何かしらの相談事が持ち込まれる——等々、凛子の目の前にあらゆる問題が山積みされる。

こうした煩雑な毎日だが「苦労」と感じたことは一度もない。

他人より少しは贅沢な暮らしがしたい——。銀座のクラブ時代から抱く願望だ。そのためには他人を凌ぐ、より良い仕事をしなければ叶わないことだと、これまで凛子は懸命に努力を重ねてきた。

今日まであらゆる難題が凛子に投げかけられてきた。それもこれも目的の地に到達するための通り道、試練だとポジティブに受け止めた。問題解決への二の手、三の手ぐらいは常に用意して、その都度何とか乗り越えた。

子どものころの凛子は「おっとり型」の「のんびり屋」。整理整頓は大の苦手、宿題にしてもぎりぎりまで追い込まれないとやらないタイプだった。こんな愚図な性格を一変させたのが、高校を中退して飛び込んだ「水商売」の世界だ。

しかも、生き馬の目を抜くような銀座のクラブで必要に迫られて身に着けた——時間の上手な使い方、手早く仕事をこなす、今日のことは今日のうちに済ますなどの習慣。

中でも「やらなければならないことは一日でも早く終わらせる」ことを大事に実践した。

それによって生まれる時間的余裕が精神的なゆとりにもつながるメリットが心地良かった。逆に早く済ませずにいつまでもぐずぐずしていることが、極めて気持ち悪かった。

一八〇度の〝性格改造〟を誰よりも凜子自身が一番驚いている。持って生まれた性格も環境に応じて変わることを、身をもって実証したのだから。


店が暇なときに凜子がかける一本の電話に必ず応えて、「割烹陣屋」で大人数の宴会を開いてくれる人がいる。その三浦という男性は、とある「団体」の書記長をしていて各方面に顔の利く、店にとって大変有り難い存在だった。

凜子は、店の玄関先を駐車場代わりにいつも真っ赤な「ポルシェ」を止めていた。「自分も息子も『ポルシェ』が大好きでね」という三浦書記長は、店に足を運ぶたびに決まって「カッコいいな～」とか「羨ましいなぁ」とか言っていた。

離婚してパリから持ってきた車で、凜子は休日になると息子の壮太郎を乗せて出掛けている。ところが狭い長野の街中で走らせても信号に次ぐ信号で、いくらエンジンを「ヴォ～ン」と吹かしても、快適に走れる道路環境にはなかった。

またスポーツカーだけに、息子の壮太郎を乗せる車としてはエンジン音が大きく、クッションがあまり良いとは言えず、車体は確かに格好良かったものの、凜子としては今ひとつ不便に感じていた。

こうしたこともあって凛子は、いつのことだったか三浦書記長に「そんなに、この『ポルシェ』が気に入ったのなら、常日ごろからひとかたならぬお世話になっていますので、書記長さんと息子さんにプレゼント致しますわ」と、気前よく申し出た。

春のうららかな日曜日、凛子は約束どおり自ら「ポルシェ」を一時間半ほど運転して、三浦書記長の自宅まで届けた。

踊り上がるように喜ぶ書記長親子の姿を見て、凛子も満足して長野に戻った。

それから半月も過ぎたある日、凛子はいつものように「陣屋」で忙しく立ち回っていたが、玄関先から女性の声で「女将を出せ！」と叫ぶのを聞いた。

何事か、と駆けつけた凛子を見るなり騒いでいた中年女性は、いきなり着物の衿繰りに掴み掛かり、「ウチの人を出せ！　出して！」と、凛子を揺さぶりながら何度も繰り返した。

訳も分からず相手のなすがままにしていた凛子だが、そのうちに中年女性が三浦書記長の夫人だと分かった。どうも凛子を「ウチの人の女」と勘違いしているらしい。

「私はそんな関係ではありませんよ」。努めて冷静に何度も抗弁する凛子だが、激しい思い込みに支配される「女房」は、「ウチの人の女」の言い分を「はい、そうですか」と、簡単に信用するはずもない。

「あんたの家に隠しているんだろう」。感情をますますエスカレートさせる夫人は、ウチの人をかくまっていないかどうか、店の客室を一部屋ごと確認させろと騒ぎ出す始末。

これをやっとの思いで押し止めた凛子は、仕方なく三階の自宅に案内して気が済むまで家中を隈なく捜させた。もちろんいるはずのない書記長が見つかるわけもないのだが、それでもなお納得しない。

猜疑心に凝り固まる三浦夫人が、ここまでがなり立てるのには理由があった。

「最近、ウチの人に『女』ができた」そうで、確たる証拠を掴んでのことか、単なる「女房の勘」なのか、それは定かでないものの「明らかな事実で、間違いはない」と言い切る。

だとすれば浮気相手は、息子にとはいえ「ポンと『ポルシェ』をくれた『女』」しか思い当たらない。何の関係もない人が、あんな高級車をくれるはずなど有り得ない——。

夫人の言っていることは理に適っていた。凛子は深く考えることもなく、常識を超えるプレゼントをして誤解を生んでしまったことを謝罪した。

「本当に関係ないなら『ポルシェ』は引き取って!」と夫人は言う。「あんな車、見るのも嫌だわ!」と。

帰り際、夫人は凛子にこんな言葉を投げ付けた。

「今日は主人を見つけられなかったけど、見つけるまで何度も来ますからね!」

夫人の凜子への疑惑は、依然晴れてはいなかった。

三浦書記長と連絡が取れたのは、しばらく経ってからのことだった。早速店に来てもらった凜子は、奥さんに怒鳴り込まれた出来事の一部始終を話した。

ひたすら謝る三浦書記長に、凜子は「本当のところはどうなんですか？」と問い質した。〝妻の勘〟は的中、最近付き合い始めた女性がいることを〝白状〟した。

「奥様は相当に傷ついている様子なので、ほどほどにしてくださいね」。凜子は言葉を繋いだ。「私のことは誤解だとよく言ってください。そして私の所には二度と来ないように、くれぐれもお願いします」。

それからですが……と言って、凜子は付け加えた。「奥様からきつく言われましたので、近々『ポルシェ』を引き取りに伺います」。

後日、引き取った真っ赤な「ポルシェ」は、何事もなかったように店の玄関先に〝復帰〟した。

旧盆の休暇を使って凜子は、息子の壮太郎と母の吟を連れて北アルプスの麓、大町市北部にある「仁科三湖」を訪れていた。

糸魚川静岡構造線、いわゆる「フォッサマグナ」上にある青木湖、中綱湖、木崎湖は総称して「仁科三湖」と呼ばれている。凛子たち三人は青木湖畔に宿を取って連泊する。三湖の中で最も大きな青木湖は長野県内で三番目の広さだ。上空から見るとハート型をしていてロマンチックで、湖面に映える三〇〇〇メートル級の白馬連山を望むことができる。深緑の森林に囲まれ県内でも有数な透明度を誇る青木湖は、その静かで落ち着いた佇まいから「レジャーの木崎湖」と比較して、「思索の青木湖」と言われている。

湖畔を一周できる道路が整備されていて、凛子は壮太郎と一緒に散歩に出掛けた。澄み切った水を湛えた水面にギラギラとした夏の暑さが吸い込まれていく。さらっとした爽やかな空気に包まれる快適さを肌に感じながら、自然と足は湖畔から山道へと延びる。三歳児の壮太郎連れだけに「登った」という実感はそれほどなかったが、凛子は胸いっぱいに吸い込んだ空気のおいしさに、別世界の感動を覚えた。今まで味わったことのない爽快な自然と心身の調和を感じた。

あんなに大きくて重い荷物を背負って、なぜ人は山に登るのか――。

昔から凛子は不思議でならなかった。もちろん「私はあんなことは嫌いだ。登山なんかは絶対にしない」確信に満ちていた。

ところが真似事にしても、「山登り」と言うには遠く及ばない青木湖畔でのミニ体験が、凛子の興味を「登山」へと俄然駆り立てたのだ。以来、日曜日ともなれば壮太郎と共にトレッキングを楽しむ凛子の姿が見られるようになる。

毛嫌いしていた重い荷物は、山頂でのおいしいご飯となる。自分の足で登ることでしか出合えない絶景。体から疲れと汗をすくい上げるように吹き渡る透明な風が快適だ。

山の魅力に凛子はぐいぐいと引き寄せられて、本格的な登山へと目覚めていく。

山登りは、頂上が見えてきた辺りから体が最もきつくなる。一歩踏み出す足の重みに苦しみ、足腰の辛さに「なんでこんな所まで来ちゃったのかしら」と悔やみ、目の前の山頂を眺めては「このまま山を下っちゃおう」の思いが何度も頭をよぎる。

方向転換して下山するにしても、登り続けるにしても、歩かなきゃならない。歩くのが道理なら「登ろう」。徐々に頂上が迫ってくるとまた別の力も湧いてくる。こうして毎回どうにか山頂に立つ。

何物にも代えがたい感動がそこにはある。苦しみを乗り越え、やり遂げた先にしかない満ち足りた喜びだ。

下山する脚は、山頂を征服した自信を誇示するように快調だ。つられて頭の中は次なるターゲットの選択に入っている。来週の日曜日が待ち遠しくなる凛子だった。

前日の仕事がどんなに大変だったとしても、山に行く日はいつもの時間よりかなり早く起きる。おにぎりなど山で食べるものは、いつも凛子自身が作った。

住み込みで子守や家事を手伝う花森みえ子がいるが、こうした用事を頼んだことはなかった。また出掛ける時間になっても起きて来たためしはなく、「行ってらっしゃい」と言って送り出されたこともない。凛子としては常に寂しく感じていた。

毎日曜日、母の吟が凛子の家に泊まり来て一緒に食事をしている。凛子が山に行くようになり留守になっても、その日課は変わらない。山からの帰りが遅い日でも、お手伝いのみえ子と二人で勝手気ままに寛いでいた。

あるとき凛子は、タンスから自分の着物が少なくなっているのに気付いた。みえ子に尋ねると、母が持ち出しているのだという。

話によると、吟が家中のタンスや引き出しを勝手に開けて、めぼしい着物を引っ張り出すのだという。で、みえ子が「お母さんに着物を持って行かれたら、私が困りますから止めてください」と懇願するのだが、吟は「凛子は私の娘なんだから、着物ぐらい持って行ってもいいんだよ」とうそぶいて、止めようとはしなかったそうだ。

「えっ、そうなの！　引き出しまで？　もしや……」。みえ子の話を聞いた凛子は急に胸の内がざわめき始めた。

案の定、引き出しの中に入れておいた二〇〇万円の定期預金証書が消えていた。慌てて信用金庫に確認する凛子に、職員の事務的な言葉が返ってきた。

「お母さまが『印鑑をなくした』と言って来られまして、改印してから定期を解約されました。現金は『お母さま』にお渡ししました」

開いた口が塞がらなかった。凛子は早速、母吟のコーポに飛んで行った。

「着物は私の商売道具で、一枚何十万円もするモノばかりなのよ。勝手に持ち出されては困るのよ」と凛子は噛みつく。「定期預金だって、無断で持ち出し解約して！　そのお金はどうしたの？」。

いつもなら責め立てられると、それは恐ろしく逆襲に転じる母が、何としゅくしゅくと泣きながら許しを請い始めたのだ。

「凛子、ごめんね。私、どうしてもお金が必要になって、ついつい定期を使ってしまったんだよ。許してちょうだい」。凛子は、目の前で泣く母の姿を初めて見た。怒りが去って仏心が現れる。

「お金が欲しいなら、黙って持って行かないで私に相談してね。これからはこんな事は絶対にしないでね」

最後まで「お金を返して」とは言えず、曖昧に許したことが仇になるお決まりのパターンが、また繰り返されることになってしまう。

この後も母の吟は、凛子の目を盗んで諸々の証書類を持ち出しては現金に換えていた。凛子も次第に強く当たるようになる。すると吟は自分のしたことを棚に上げて、凛子がいかに「きつい娘」なのかを親戚中に言いふらした。

また持ち出した着物でも、着古した自分の着物を持ってきて「これらと取り換えるから、それでいいでしょう」と、言い捨てるように叩きつけるのだが、その着物たるや、衿や袖回り裾前など様々な染みと油汚れでベタベタしていて、とても着られるような状態ではなかった。

これで返したつもりになっていたのか、吟は相変わらず凛子の隙を見て着物を持ち出し続けていた。

着物にしても証書類にしても、こうした行状を改める様子は一切見受けられなかった。これに業を煮やした凛子は、留守中に母吟が自宅に出入りすることを固く禁じた。どうしようもなく凛子が繰り出した最後の手段だったが、海千山千の吟にとってこの程度の「防犯対策」を逆手に取るぐらいのことは、造作もないことだった。

「私は日曜日にあの娘の家に行くのをとても楽しみにしていたのに、あの娘は母親の私に一方的に『家に来てはいけない』と言うのだよ」。親戚はもとより店の客など相手かまわず、吟の〝口害〟はエスカレートするばかりだった。

すっかり悪者にされてしまった凜子は、客から「あんた、少しはお母さんに優しくしてやりなさいよ」と諌められる。あまりのことに、凜子には返す言葉もなかった。

長野郵便局長の就任歓迎会が「割烹陣屋」で行われていた。その席に出ていた吟は、新局長の就任祝いと称して孫たち五人全員の「学資保険」に入ることを約束したのだ。

こうしたやり方で客の心をつかむことは吟の〝得意技〟。だから凜子は、そんな学資保険などまったく当てにしていなかった。ところが、これは単なる口先だけの約束ではなかったのだ。

後日あらためて、凜子は妹由美子、弟雄一と共に母から呼ばれた。部屋に行くと母は、五人の孫それぞれの名前が書かれた証書と印鑑を手渡して寄こした。

あの母が……⁉ 狐につままれたような気持ちで凜子は、保険証書と印鑑を実感もないまま受け取った。で、母は「私は、かわいい孫たちそれぞれに保険を掛けてやった」と、自慢話を世間中にまき散らした。

それから半年ほどが過ぎたころ、凜子の元に郵便局員が異なることを言って訪ねて来た。

「先日の保険解約の手続きで書類に記載漏れがあったので、サインをいただきに来ました」

凜子には全く身に覚えがない。詳しく話を聞くと、解約されたのは母が息子の壮太郎に掛けてくれた学資保険だ。しかし証書も印鑑も手元にある。「何かの間違いでしょう」と異議を申し立てる凛子を、郵便局員の言葉が遮った。

「証書も印鑑も紛失したということで『紛失届』を提出された上で、妹さんが窓口に来られて解約手続きされました。掛け金？　掛け金はお支払いしました」

吟は以前、凛子の留守宅から黙って持ち出した定期預金の通帳を、「印鑑をなくした」と嘘を言って改印した上で解約、二〇〇万円を着服したことがあった。今回は妹を使っているが、あのときと同じ手段だ。

「だってお前、お金が必要だったんだもの」。吟は悪びれる様子さえ見せずシラっとして言った。しかも唖然とする凛子に追い打ちをかけるような言葉が、怒りの導火線に火を付ける。

「解約したのは、お前の壮太郎の分だけだよ」

妹の由美子が窓口に行ったと聞いていたので、孫全員の学資保険を解約したものとばかり思っていたのだが、あまりの理不尽さに怒りで体が震えた。

「私は『割烹　陣屋』の跡取りなのよ。たった一人の『内孫』だけの保険を解約するって、おかしいでしょ。納得がいくように孫全員を平等に扱ってよ！」

馬耳東風―凛子の〝抗議〟など吟に届くわけがなかった。

「あのときの学資保険だったの⁉」。妹の由美子にしても驚いて吟に詰め寄った。

「私は
そんなことも知らずに、お母ちゃんに頼まれたから解約の手続きに行っただけよ」。

昭和六十年七月二十六日の夕方。「割烹陣屋」はいつもと変わらぬ賑わいを見せている。あちらこちらの部屋で宴会が始まり、勝手場は例によって戦場のような慌ただしさを増す。こうした中で県庁関係の人たちが宴会する部屋だけ突然、人の出入りが激しくなった。何かあったんだろうか？　仲居たちが思い始めたそのとき、「宴会は中止だ！」と緊張した声が上がった。呼応するかのように部屋にいた全員が、どかどかと足音を立てて店から飛び出て行った。

長野市上松で大規模な地滑りが発生した、というのだ。

しばらくしてテレビから流れた映像に凛子は戦慄した。山の上部辺りから発生した地滑りは、斜面に造成された住宅団地を巻き込み崩れ落ちる。大きくえぐり取られ露わになった無残な山肌が、自然災害の恐ろしさを物語っていた。

後に言われる「長野市地附山地滑り災害」だった。


真っ赤なポルシェの「プレゼント事件」で、すっかり顔を見せなくなった三浦書記長に代わり、後任の高梨康史書記長も「割烹陣屋」を大変贔屓にしてくれていた。

あるとき高梨書記長は、凛子に面白い計画を持ち掛けた。

「凛子さん、この長野で私やあなたのように三十代でバリバリやっている人が多くいるから、その人たちを集めて何かの『会』を作ろう」

凛子は大乗り気で賛成した。早速、メンバー集めを開始した。

三十代で活躍している人たちは大勢いた。地元選出の代議士をはじめ信越郵政局やNTT信越、JR長野に日銀長野事務所長、長野県警本部の部長といった国からのキャリア組中心に、高梨書記長と凛子を加えた八人を初代メンバーに「三十路会」を旗揚げした。

月一回の月例会会場は、当然「割烹陣屋」で開催した。

また、いつの月例会だったか、当時の知事をゲストとして招いた。その際に知事は自分も入会したいと言い出し、ちょうど三十の倍の六十歳だったことから洒落で「特別会員」になってもらった。

その後もメンバーは、行政や官公庁の枠を越えて、県内有力企業の経営者やオピニオンリーダー的な存在の人たち広く民間へも広がっていった。

小布施堂社長、長野トヨタ副社長、小林病院院長、テクノ電設副社長、カシオ社長、スズキ社長。野村證券長野支店長、NTT長野支店長、信越電気通信監理局通信部長、富士通長野工場勤労課長、長野県財政課長、同職業安定課長。そして後に国会議員や上田市長になる県議とか信州新町町長―等々。

多様な立場の人たちが一堂に会することで、互いに刺激を与え与えられる月例会は、会員にとって公私ともに貴重な機会として重宝された。このため欠席者は毎回ほとんどなく盛会を極めた。

この後、メンバーが年を重ねてほとんどが四十代となると「三十路会」は、「凛の会」に改名されて存続した。

「教育県」と言われる長野ならではの教育組織がある。「信濃教育会」というのだが、建物が「割烹陣屋」の近くでいわゆる「お隣さん」だ。

その「信濃教育会」の縁で、東京から長野に来た際に来店する書の大家がいる。下條舟山という書家だが、何度か店で扇子や色紙に揮毫してもらっていて、凛子は「家宝」として大事にしている。

今度お見えになったらお願いしよう……。「割烹陣屋」の改装中だった凛子は、ひそかにある計画を温めていた。

「割烹陣屋」の看板と、店のモットーである「山を盛り　海を盛り　心を盛る」を、掛け軸に表して揮毫してもらうことだ。

だが、下條先生は高齢ということもあり取り巻きが揮毫を禁止したそうで、最近は妹とか弟子が一緒に付き添い目を光らせていた。

これまでのように気軽に書をねだる雰囲気ではなくなっていたが、そこは凛子のことだ。持ち前の愛嬌と憎めない図々しさで監視の目をかいくぐり、ちゃっかりお願いすることに成功。下條先生は快諾してくれた。

大きな和紙に揮毫した縦書きと横書きの〝大作〟が、東京から凛子の元に何枚も送られてきたのは、それからしばらくしてからのことだった。

その後、信濃教育会主催で「下條舟山個展」が開催された折には、主催者からの依頼で舟山先生の掛け軸などを貸し出すこともあった。


いつのころからか、一人の男がしょっちゅう母吟の家に出入りするようになっていた。凛子が吟に聞いたところによると、男は村沢といって尋常高等小学校時代の吟と一つ違いの下級生で、偶然街で会ったのだという。

村沢は、おだてにめっぽう弱い一面を持つ吟に取り入っていた。上手いことを言っては書画骨董などを持ち出し、その見返りと称して「宝石指輪」をプレゼントしていた。しかし指輪は、母が気付かないのが不思議なくらい、一目瞭然の「まがい物」だった。

凛子は、騙されやすい母に注意するよう伝えた。

そのうち村沢は「友人」だと言って、中野市に住む六十歳ぐらいの男性を連れてきて吟に紹介した。男性はスラッとしていてちょっと見てくれが良かった上、なぜか吟に結婚を申し込んだのだ。

吟も吟で、すっかり舞い上がり催眠術でもかけられたように、結婚する気になっていた。どう見ても胡散臭い——。凛子は無駄だと分かっていたが、「付き合うのは止めた方がいいわよ」と忠告した。母の吟は当然のようにこれを無視した。

ある日、店の事務室の電話が鳴った。いつものように帳簿類を整理していた凛子が受話器を取ると、母の声が聞こえてきた。

「今から彼らがそちらに書類を持って行くから、その同意書にお前の印鑑を押してちょうだい。もう妹も弟も私もハンコを押したから、ねっ」

しばらくして、母の言ったとおり村沢と中野の男性が訪ねて来た。二人は持参した書類を凛子の前に差し出した。

白紙委任状じゃないの！　凛子は驚いた。「この書類は、何に使うのですか？」と質すと、二人はもっともらしいことを言いながら、肝心なところでは言葉を濁した。

「それなら何の書類なのか、その内容を細かくきちんと書き込んでから、もう一度持ってきてください」

凜子はズバリ畳みかけるが、それでもなかなか引き下がらない。

「お母さんからも、ご兄弟様からも了解していただいております。後は女将さんだけですので、何とか印鑑を押してもらえませんか」

どこまでも粘ろうとする村沢らに向かい、凜子は毅然として断った。

「白紙の状態では、何もできません！」

村沢たちが帰った後、凜子は妹と弟に電話で確認すると二人は、「お母ちゃんから電話があって『ハンコを押して』って言われたから押したよ」と何ら疑いを抱いていない様子で、あっけらかんとして答えた。

妹と弟は別として母は、かつて似たように手形の裏書問題で痛い目に遭った経験がある。白紙委任の「怖さ」を誰よりも実感しているはずだった。

「話しておかなければならない」。凜子は居ても立ってもいられずに母の自宅へと走った。

「あのねぇ、あのときに私が判を押せばどうなったか、分かる?」。凜子は母を強い調子で諌める。「家族全員の白紙委任状が揃うことになって、『割烹陣屋』の土地や建物の不動産など全部が、彼らの手に渡ってしまうんだよ」。

さすがに村沢ら二人を「怪しい」と薄々感じ始めていた母は身震いしながら、これまでのように反発する様子もなく神妙な面持ちで凛子の忠告に頷いた。

後日、凛子は母に「これから私の所に来て」と呼び出された。部屋に入ると、テーブルの上に母名義の不動産権利書が置いてある。

「これナニ⁉　どうしたの？」。凛子は訝しげに尋ねた。

「今回のお前の対応を見て、やはり一番しっかりしているのはお前だよ。私はそそっかしいところがあるから、この『権利書』と『実印』を今日からお前に預けておくことにするよ」

過去にも同じような失敗をしている母は、今回の白紙委任状の件が相当に骨身にこたえたみたいで、思いがけず権利書と実印を渡された凛子は、「くれぐれも間違いが起きないように、しっかり管理します」と、何かの贈呈式みたいに恭しく応えた。

母が私を初めて認めてくれた──。凛子は夢見心地の感動に包まれていた。

小さいころから凛子は、母吟のことを好きで、好きで、たまらずにいた。「いつも私のところを見ていてほしい」。一筋に母親の愛を求め、今も愛にすがり続けている。

そのためには、どれほど酷い仕打ちを繰り返し受け続けたとしても、ただひたすら母に喜んでもらいたい、認めてもらいたい、その一心を持ってできる限りを尽くしているのだ。

その母に「やっと認めてもらえた」この喜びは、例えようがなかった。

凛子は「割烹陣屋」の女将を引き継いだときから、営業の在り方が気になっていた。どうも色気を売りにし過ぎている嫌いが見受けられたのだ。

料理の質の向上は言うまでもなく、接客は気配りや会話を大切にしたい――。凛子は思い描く「割烹」本来の姿へと、店のグレードを一歩でも二歩でも引き上げたいと考えていた。

こう思い至ったのは、店の全面改装が一つのきっかけとなっていた。改装工事完成の暁には心機一転、新たな「割烹陣屋」を再出発させようとしていたのだ。

新生「陣屋」に花を添えたのは、客で書道の大家、下條舟山の「書」だ。凛子の頼みに応じて揮毫した作品で、「割烹陣屋」の〝顔〟となる看板文字は、改装なった玄関に木彫りにして掲げた。

また掛け軸に表装した店のモットー「山を盛り　海を盛り　心を盛る」の書は、品良く出来上がった六部屋の座敷と六〇人ほどが入る大広間のうち、凛子が一番気に入っている部屋の床の間に飾った。

さらに全面改装を機に凛子は、後々語り草となる大パーティーを長野市内のホテルで開催した。

「『割烹陣屋』三十八周年　改装記念披露パーティー」の発起人には、長野県の各界で活躍する主に三十代の若手が「陣屋」に集い、月例会を開いている「三十路会」のメンバーが名を連ねた。

そして各自のネットワークを駆使して声掛けしたことが奏功して、知事はじめ県議会会派の別なく、財界はもとより民や官を問わず県内を網羅した錚々(そうそう)たる顔ぶれがそろった。

凛子は、挨拶や席順などに頭を悩ませながらも嬉しい悲鳴を上げつつ、他では絶対に真似のできない「割烹陣屋」ならではの豪勢な祝典を挙げて、大いに面目を施したのだ。


長野市の三輪田町で写真館をやっていた弟の雄一が、経営に行き詰まり店を閉じた。かつて店の跡取りにと、母の吟と凛子によって長野に連れ戻されるまで住んでいた茨木県土浦で「もう一度やり直す」と言い、二人の子どもと妻の幸子を伴って引っ越して行った。

雄一は「割烹陣屋」の跡を継ぐことを止めた際に、母から一軒家を買い与えられて写真館をやっていたのだが、この住宅兼店舗のローンがまだかなり残っていた。さらに写真館の経営がうまくいかずにこしらえた借金も加わり、住宅兼店舗を売却しても追い付くものではなかった。その全てが凛子に負い被さった。

一人息子の壮太郎が幼稚園に入園した。

初日、凛子は送って行った幼稚園の玄関先で、ほとんどの子どもたちが母親と離れるのが嫌だと泣き叫ぶ〝恒例行事〟のような光景を目にした。

壮太郎はどうかというと、親子が大騒ぎしている中で一人さっさと靴を上履きに履き替えたと思ったら、凛子に向かって手を一振りしただけで園舎の奥へと廊下を走って行ってしまった。

未練も残さず嬉しくて飛び跳ねるように走り去った壮太郎。凛子は頼もしく思った半面で、何とも呆気なく肩すかしを食った感じで後姿を見送った。いつまでも大泣きして子どもにしがみつかれる母親が羨ましく思えた、ほろ苦い〝幼稚園デビュー〟でもあった。

凛子は忙しい最中であってもきちんと送り迎えした。壮太郎は壮太郎で幼稚園に行くのを嫌がったことなど一度もなく、母親を助ける本当に手の掛からない子だった。

子どもの成長は早いもので壮太郎もあっという間に卒園、小学校の入学式を迎える。

初めての教室、子どもたちより緊張の面持ちで見守る保護者の中に凛子の姿もあった。先生が一人ひとり名前を読み上げていく。

壮太郎の名前が呼ばれた。「ちゃんとできるかな」と、ドキドキしながら見守る凛子の心配をよそに、壮太郎は「はい」と誰よりも大きな声で手を挙げて返事をした。

その壮太郎の姿は、翌日の信濃日日新聞朝刊に大きな写真で掲載された。凛子は嬉しくて早速、知人の瀬尾編集局長に連絡を入れて掲載紙を何部も取り寄せ、親戚中に配ったのは言うまでもない。

壮太郎が四年生のとき、凛子はクラスの保護者会に出席した。議題は進んで来年度の役員を決める段になった。慣例なのかどうか分からなかったが、現役員が出席者それぞれに新役員就任の打診をしていくのだ。

打診された側はさまざまな理由を挙げて断る。いよいよ凛子が聞かれる番になった。「私も仕事をしていますので……」。右に倣えでやんわりと断るが、ある母親が「仕事だと言っても、中園さんは夜でしょう?」とすかさず言った。

「いいえ、午前中から帳簿を付けたり仕入れの手配や銀行回りなどの仕事をしていますから……」と凛子は答えたが、「夜の仕事」を蔑む差別意識をありありと感じた。

こうして一時間経ち、各自への「どうですか、会長を引き受けていただけませんか」の問い掛けが、三巡目となるものの一向に決まる気配がない。いい加減うんざりしていたところに、またまたお鉢が回ってきた凛子は腹を固めて答えた。

「一人しかいない子どもがお世話になっているので、こうした役の経験はありませんが、他の方々の協力が得られるのならお引き受けします」

来年度の保護者会長が凛子に決定すると、どういうわけかこれに続くように副会長、会計もすぐに決まった。

会長としての初仕事は、一年間の行事日程を組むことだった。このため凛子は副会長に連絡をして「打ち合わせ日時を決めたい」と申し入れた。

すると副会長は、すでに全ての作業は会計との間で終え、行事日程表も印刷済みだとする返事が戻ってきた。そのあたりの要領が何も分からない凛子は、副会長と会計の二人が好意でやってくれたのかと思い、感謝の言葉を伝えた。

しかし保護者会で配布された年間行事など保護者会の活動計画資料には、通常あるべき正副会長、会計の役職名はなく副会長と会計二人の個人名だけが印刷されていた。

これは明らかな凛子、いわゆる「会長外し」の何物でもなかった。

それならば会長選びの際に、副会長も会計も何だかんだと言って断わらず、素直に受ければいいではないか――。腹を立てながら凛子は、ハタと思い付いたことがあった。

実のところ次期役員人事は、一部の人たちの間で暗黙の裡に決まっていたのだが、ああやって何度もまどろっこしく断るのが、ここの仕来りだったのかもしれない。だとすれば、こうした〝因習〟を知らない私が、案に相違して三度目の打診で受けてしまったのは、その人たちにとって「想定外」の出来事だった――。

とは言え、この「会長外し」には涙が出るほど悔しくてしょげた凛子は後日、担任の先生に相談したのだが何の解決にもならなかった。

結局、凛子は〝存在を消された会長〟として一年の任期を終えた。


母の吟は、相変わらず日曜日には凛子の家に泊まりに来ている。

ある日、母は「これ、おいしいから食べなさいね」と言いながら、盛んにエビフライを手ずから壮太郎の口まで運んでいた。そのほほ笑ましい様子を横で見ていた凛子は、冷や汗が一気に噴き出すようにゾッとした。と同時に、壮太郎に食べるのを慌てて止めさせた。エビフライには、長い髪の毛がぐるぐる巻きに絡み付いていたのだ。

老眼の母には見えなかったに違いない。だがしかし、どうしたら髪の毛がこれほど巻き付くのか？　単に床に落ちたぐらいならこうまでならない。

いったんゴミ箱に入ったエビフライを拾って持って来たのではないのかと、凛子の疑心はここまで推理を発展させた。吟は昔から悪い意味で何でも勿体ながるし、不潔なことにも平気だったからだ。

「これから家に来るときは、もう絶対に食べ物を持ってこないで！」。凛子はきつく言った。案の定、母は客を手始めに親戚はもとより友人知人に、「私が孫に食べさせたくて、せっかく持って行ったエビフライなのに、凛子は『壮太郎には食べさせないで』と冷たくあしらうのよ」と、凛子の悪口を言いふらした。

考えてみれば「割烹陣屋」を引き継いでからというもの、凛子はずっと母の吟から悪口ばかりを言われてきた。それも、母が意図して都合よく作り上げた嘘の話で貶(おとし)められ続けている。

中でも客の目の前で言われたときには、「それは違います」の言葉が何度も喉元から出かかる。だが母親と娘の対立で娘に肩入れする〝論評〟は少数派。一般的な世間感情は弱い者の味方、いわゆる「判官贔屓」なのだから事の信ぴょう性とは関係がない。

言葉を巧みに操って被害者ぶる母の吟にかかれば、客でなくても聞かされた側には自然に「善＝親吟」と「悪＝娘凛子」の構図が出来上がる。

そこで凛子がいくら反論を試みても詮(せん)ないことだった。そのあたりの理屈は経験値からして分かっている。嘘で塗り固めた悪口に言い返す言葉をグッと飲み込み、凛子は作り笑いでその場をぎこちなく凌(しの)ぐ。

母が言いふらした人たちを回って、いちいち本当のことを言いたいと凛子は思う。親戚には特にそうだったが、現実的にそんなことができるわけがなかった。

凛子の最大の理解者で小さいころから幾度となく助けられた親戚「稲荷山の家」の長女で、今は屋代に引っ越して焼き肉店とカントリークラブ内で食堂を経営している光恵姉から、母の言っていることを聞くにつけて、凛子は「たぶん私は、昔から光恵姉に誤解されているかもしれない」と辛い思いに駆られた。

直接言わないまでも、母から話を聞いた大勢の人たちが「私を冷たい目で見ていることだろう」。凛子は悔しい胸の内を寂しく閉ざすしかなかった。

いずれにしても〝世論〟を味方に付けてしまう母の言動は、凛子にとって迷惑以外の何物でもなく大いなる悩みの種だった。

凛子はいつのころからだったか、そんな母吟の姿を「反面教師」とするようになっていた。何だかんだと言いながら凛子は、数年前まで母に対して尊敬の念すら抱いていた。しかし実の娘を貶め、犠牲にしてまで自我を通そうとする母の醜い姿を見て、「私は絶対にあはなりたくない。美しい心根の人生を歩みたい」と心に誓った。

親が子どもの悪口を言ったとしても、許され、信じてもらえる。反対に子どもが親を非難した場合、その非難はブーメランのように子どもに戻ってくる。それだけに親の言葉は、親子関係においても世間的にも重いのだ。

だから……と、凛子は思う。「私は息子の壮太郎の悪口は、口が裂けても言わない。たとえ言えたとしても絶対に!」。反面教師としての母から凛子が得た大きな教訓だった。

いつものように座敷に出るため髪を結っていた凛子は、自分の指先がツルッと滑る感触に驚いた。

後ろ髪をアップにする際のことで、十分過ぎる髪の毛があるはずの頭皮が、どうなったのかしら？　嫌な予感を覚えながらも腑に落ちない凛子は、頭をひねらせてピンポイントで三面鏡を覗き込む。そこには、髪の毛が測ったように直径三センチほど抜け落ちて、きれいな円形ができていたのだ。

円形脱毛症⁉　私が「円形脱毛症」になるなんて、とても信じられない。

ショックのあまり三面鏡から目の離せない凛子に、お手伝いさんがさもないように言った。「だいぶ前から、そうなっていましたよ。てっきり女将さんは知ってらっしゃると思っていましたけど……」。

診察した医者は、「自律神経失調症気味で、ストレスからこのような『円形脱毛症』になる人が多いですよ」と説明する。だが凛子には、ストレスを抱えている自覚はまったくなかった。

もし、あるとすれば〝原発巣〟は母の吟に違いない。大小さまざまなストレスに、凛子の心は知らず知らずのうちに相当傷つけられていたことになる。

幸いにも脱毛箇所は後頭部なので長い髪で覆い隠すことができた。これが前頭部や側頭部だったら隠し切れなかったと思う凛子は、「ふ〜っ」と深く息を吐いた。

あるとき、凛子に思い掛けない依頼が舞い込んだ。

依頼の主は、自治省から長野県庁に来ていた古谷靖地方課長。後に九州のある県の知事になるのだが、県庁時代からとても柔軟な発想の持ち主でユニークなアイディアマンだった。在職中、職員で著作チームを編成し、彼らが収集した市井の情報を網羅した『現代信州基礎知識』と称する〝辞典〟を出版して評判となった。

古谷課長とは県庁に来た当初からの知り合いで、地方課長になる以前の企業局企画課長時代に、凛子は「県外の人に贈るお土産の包装紙をデザインしてほしい」と頼まれたことがあった。当時、水彩画の得意な男性事務員が和紙に信州の野山を描き、凛子が筆で「ふるさと」の唱歌を書いた意匠の包装紙を作った。

その古谷課長が「折り入って頼みがある」と言ってきたのだ。

県内の各市町村から県庁に研修に来ている四五人ほどの若手職員を相手に講演してほしい、というものだった。

テーマは「公務員らしい、人との付き合い方」という。

えっ、何で私なの？　確かに「有限会社陣屋」社長の肩書ではあるけれど、本をただせば一介の料理屋の女将。どちらかと言えば、社会を裏から支える「黒子」のような存在なのに、いきなり表舞台に立てとは……。

最初に話を聞いた凛子は困惑した。講演依頼で声を掛けてもらったこと自体、初めての経験だったし、眩しいくらい光栄なことだった。その嬉しさが胸一杯に溢れ出た半面、だからこそ怖気づく気持ちも湧き上がっている。

しかし凛子の選択肢の中に「辞退」はあり得なかった。正直なところ恐る恐るではあったが、「私も勉強させてもらおう」と快諾したのだ。

接客業を生業とするプロとして「人との付き合い方」のノウハウについては自信がある。また女将という目線で「対人関係」を観察してきた知見を客観的に語ることもできる。

与えられた一時間三〇分という限られた時間内で、ポイントを外さずにどれほどのことが伝えられるのか。講演内容の精査を始めた凛子は、これまでの人生を前向きに振り返りながら概要をノートに書きだした。

一、生きていくにも仕事をするにも、まずは自分に「プライド」を持つ。が、「虚栄心」とはき違えてはならない。見栄を張る「虚栄心」は人生の妨げになるだけだ。

一、自身の「目標」をしっかり見定める。それも大きな「目標」を設定する。「目標」に向かって努力していれば周囲が「協力」してくれるものだ。

一、また気持ち良く「協力」を得られるような環境を作り出すことが肝要だ。一日二四時間、全ての者に平等に与えられた時間の中で事を成すためには、一人では限界があるのだから。

一、常に「目標」を持ち「努力」している人は、巡ってくる「チャンス」を逃さずつかむことができる。反対に漫然と日を過ごしている人は、近くにある「チャンス」さえ気付かず見逃す。

一、接客する側から見て「好ましい人」と「そうでない人」には、それぞれ特徴的な言動がある。人は学歴や肩書などで評価しがちだが、人間性に魅力を感じてもらえるようになってほしい。

一、人の真価は有事の際に問われる。何か事が起きたときの態度や対処の仕方などに〝人間力〟が試される。

―かつて「くらぶ凛子」で、嘘に気付かず未成年者を雇用して一週間の「営業停止」の処分を受けた。後処理如何がその人、その組織の将来を左右する。事実を隠したり、ごまかしたり、他人や環境のせいにした段階で、営々と築き上げてきた信用は一瞬にして失われる。誰にもどこでもある失敗や不祥事などの〝事故〟は、取り繕うことなく正直に誠実に対処することがいかに大切か、自覚してもらう。
一、皆、自分を大切に思っている。相手も同様に自分が一番大切だということを忘れてはならない。先輩には「一日の長」を認めて敬意を払うことが重要。
一、相手の望むことを知るためには、相手の目を見て会話することが肝心。
一、普段から「努力」し「経験」を重ねることで自分に「自信」が持てるようになり、臆することなく誰とでも接することができるようになる。
一、郷に入っては郷に従え—で、地方によって酒席の儀礼などが異なるので、事前に調べて知っておくと、失敗もなく相手方の歓心を買うことにもなる。

講演で凜子は、事前にまとめたこれらを縦軸に、自身の子育てや登山にはまっていることなど、プライベートを織り交ぜながらノルマを果たした。

後日、受講した研修職員たちが「割烹陣屋」に顔を見せた。彼らから講演の評判が良かったことを聞いた凜子は、ホッとするとともに嬉しかった。

話がどこからどうつながったのかは知らないが、しばらくして上伊那地方の「ジャパンアグリ伊南」をはじめ四件の講演依頼が相次いだ。

休日は相変わらず登山に明け暮れる凛子だったが、危険が増す冬季は登山を自粛した。このため空いた休日は、屋代にある光恵姉の家によく出掛けていた。光恵姉は、凛子が幼少時代から変わらず心の拠り所にしている「稲荷山の家」の長女だ。

「稲荷山の家」は母吟の姉、たつ江の嫁ぎ先。凛子が夫の高宮から逃げ出してパリから帰国しようとしたとき、吟につれなく拒否された旅費をたつ江伯母が代わりに工面してくれた。この送金で凛子は命からがら日本に帰れたのだ。

光恵姉も母親のたつ江伯母と同様に凛子の良き理解者で、妊娠中しょっちゅう吟からのいじめに遭っていた凛子は、泣きながらよく助けを求めた。その都度、光恵姉の夫矩幸がすぐ迎えに来て屋代の家に〝保護〟してくれた。

また壮太郎が生まれ、「お宮参り」の際に羽織る「祝い着」も、母の吟ではなくたつ江伯母が買ってくれた。

そのお宮参りの記念写真には、たつ江伯母から贈られた着物を掛けて、額に赤い印を付けた壮太郎を抱っこした満面笑みの母吟が写っている。そこにいるのは紛れもなく、目の中に入れても痛くない孫を抱く普通の優しいおばあちゃんだ。内孫にもかかわらず「祝い着」を用意することさえ拒んだ、鬼のような姿はまったくなかった。

吟は、この写真を大事そうに持ち歩いては、会う人ごとに見せていた。だがそれに引き換え、お宮参りの〝主役〟の一人であるはずの母親の凛子が、息子の壮太郎を抱いている定番の記念写真は、一枚も撮られていなかった。

あるとき光恵姉は、凛子の母吟と「稲荷山の家」にまつわるスキャンダラスな話を始めた。もちろん凛子にとって、ほとんどが初めて触れる「母の知られざる生い立ち」の全貌だった。

その概要は、ざっと次のようなものだ。

戦後、吟は結婚するもすぐに離婚した。その際、身ごもっていたのが凛子だ。凛子を出産し一人で子育てするため吟は、姉のたつ江伯母の嫁ぎ先で精肉店を営む「稲荷山の家」で働いていた。

この辺りのことは凛子も薄々知っている。

ところが、たつ江の夫義男と吟が「恋仲」になってしまう。嘆き苦しんだ、たつ江は二度も自殺騒ぎを起こす。未遂に終わったとはいえ、光恵姉は「そんな母たつ江の姿を見るのがとても辛かった」と述懐する。

結局、吟は義男の計らいで「稲荷山の家」を出て長野市内に引っ越すのだが、今度は義男が引っ越し先の吟の家に入り浸りとなり、店の肉を回して吟に商いをさせた。

最初は凛子をおんぶし、両手に重い肉のかごをぶら下げて行商していた吟は、義男からの資金で下宿先の玄関を借りて店舗に改装。行商をやめて店での精肉販売を始める。

あるとき男性客の一人が「この上がり框で『すき焼き』を食べさせてくれ」と言った。その後もこういった注文が度重なったことから、先見の明を働かす吟は徐々に料理屋へと展開していくのだ。

今ある「割烹陣屋」の原点だ。

そのうち吟に好きな人ができて結婚したことで、ようやく義男との関係は断たれた。吟の再婚相手は、凛子が高校に入るまで本当の父親と思い込んでいた唐澤雄二、その人だった。

凛子の頭の中はカオスに陥っていた。

義男伯父が、光恵姉など自分の娘より凛子を無条件にかわいがった理由はここにあったのか……。

たつ江伯母に対してこれほど破廉恥なことをした妹吟の子どもの私をずっと、どうしてここまで大切にしてくれるのだろうか……。

厚顔無恥な吟に、我慢に我慢を重ねてきているはずのたつ江伯母は、恨み言ひとつ言うでもなく普通に母と行き来していることが、凛子には理解できない。

母吟が今日あるのは、自分の姉たつ江伯母に対する破廉恥な裏切り行為と、その夫義男伯父から出た金のお陰だったことに、凛子は母のおぞましさに戦慄する思いだった。

後年、義男伯父はいみじくも「俺は仏のようなたつ江を裏切って、鬼のような吟に入れ上げてしまった」と語り、悔いたそうだ。

光恵姉から聞いた話は、凛子の頭にこびり付いていつまでも離れることはなかった。


こんな事があってしばらくしたある日、母の吟が凛子に「光恵から相談を受けたけど、どうしたらいいんだろう」と話し出した。

話の内容では、どうも光恵姉夫婦が商売に行き詰っているらしかった。

光恵夫婦は実家である「稲荷山の家」を出て、屋代に居を構えて食堂を営むほか、長野市西和田で焼き肉レストランをやる一方で、自宅に近いカントリークラブ内の食堂運営を委託されている。

中でも一一年続けて委託されているカントリークラブ内の食堂は、更新のたびに契約内容が厳しくなっているらしかった。ゴルフのできない冬期間は食堂もクローズするが従業員は継続雇用しているため、採算面は年を追うごとに芳しくなくなってきていたという。

焼き肉レストランは利益を上げているのだが、これまでも二軒のスナックと一軒の焼き肉店を開店しては閉店させていて、その都度借金が嵩んでもいたようだ。

稲荷山の義男伯父は亡くなる際に、たつ江伯母や光恵姉が「一生困らない蓄えがあるから心配するな」と言い残すほどの遺産があり、「稲荷山の家」は親戚中で最も裕福だった。二人娘のうち次女の恵美姉を亡くしているたつ江伯母にとって、光恵姉はただ一人のそれは大切な存在だった。光恵姉が資金のやり繰りに困り泣きつくと、たつ江伯母は常に工面していた。

それにもかかわらず光恵姉夫婦には、銀行からの借り入れが八〇〇〇万円ほどあり、しかも返済が滞っているというのだ。

凛子は驚きを隠せなかった。母の話を聞くまでは、まさかにも考えていなかったことだ。これまでの恩を考えれば何とか力にならなければ—とは思うのだが、具体的にこれという妙案が右から左へと出てくるはずもなかった。

そんな折、光恵姉夫婦が住む屋代の家を「一億二〇〇〇万円で買い取ってもいい」と言う人が近所にいる、との情報を母が持ってきた。

凛子はすぐに光恵姉夫婦の所に向かい、屋代の家を手放して経営を立て直すことを勧めた。

「まずはね、屋代の家を売って、カントリークラブの食堂の仕事を辞めるのよ」と、凛子は自分が立てた算段を説明し始めた。

「八〇〇〇万円を銀行の返済に充て、借金をなくしてから長野市内に三〇〇〇万円ほどの家を買うの。それでも残る一〇〇〇万円を懐に持って、繁盛している西和田の焼き肉レストラン一店舗に絞り商売していけば、仕事も生活も楽になるはずよ。このように話を進めていきましょう」

凜子の提案に光恵姉夫婦は深く頷いて納得した。

こうした段取りで話はてっきり進んでいるとばかり思っていた凜子の元に、一か月ほどが過ぎてから光恵姉が訪ねて来た。

「凜子ちゃんにいろいろとアドバイスをもらったんだけどね……」と、言いにくそうに口を開いた。凜子は、その話の内容に呆れてしまう。

家を売ることにした光恵姉は、諸々と家の中の整理を始めていたが、あるとき夫の矩幸が傍に来て、家の中から庭石や庭木を見ていてぽつりとつぶやいたという。

「いよいよ、ここを手放すのか……」。感慨深げな声の方に顔を向けると、夫の目尻から一筋の涙がすっと流れた。この切な過ぎる夫矩幸の姿を見てしまった光恵姉は、翻意した。

「家を売るのを止めるわ。もう少しこのまま頑張ってみる」

光恵姉は、凜子を見て言った。

えっ、えええ〜　ウソでしょ！　凜子は叫びそうになった。「じゃあ、これからどうするつもりなのよ⁉」って、喉元まで出掛かった言葉を飲み込み、現実をよく見て考え直すよう穏やかに何度も促した。

光恵姉に聞く耳はなかった。


あれから約二年が経った。記憶が遠のきほとんど思い出すこともなくなっていた凛子だったが、光恵姉が深刻そうな顔つきでやって来た。

久しぶりに会ったのに挨拶もそこそこに「以前にあった家を売る話だけど、復活させてもらえないかなあ」。光恵姉は数か月前の話のように切り出した。

聞くところによると、銀行からの借入額がこの二年間で八〇〇〇万円から一億円を超えるまでに膨らんでしまっていた。

凛子にしたら、「どんな仕事をしていたの？」となじりたいほどの放漫経営だ。それで「返済がどうにもならなくなったので、前回みたいに家を売る決心をした」というのだ。

凛子は、二年前に一億二〇〇〇万円で買ってもいいと言っていた人に連絡を取ったが、当然別の物件を買ってしまっていた。それでも親切に「買い手を探してあげる」と言ってくれた。

最終的に家は、前回より三〇〇〇万円も下回ったものの九〇〇〇万円で売れ、全額を銀行返済に充てた。

それでも完済できたわけではないのに光恵姉夫婦は、驚くべきことに再度銀行から借り入れをして、長野市に一軒家を購入したのだ。

凛子はあまりの無計画さにあんぐり、開いた口が塞がらなかった。

前回、確かに「屋代の家を売って、三〇〇〇万円ほどで長野市に家を買えばいい」と凛子は言った。しかし当時、家を売れば借金を全額返済しても手元に十分な資金が残る——という計算の上で成り立つ話だった。

だが、今回は家の売却額は下がり、逆に借入額は膨らんでいる。借金はまだ残ったままで、新たに家を買う余裕などあるはずがないのだ。ところが光恵姉の頭には、あのときの「長野に家を買える」という言葉だけが頭に刷り込まれ、前提になる話などはどこかにすっ飛んでいたのだろう、と凛子は思った。また、そうとしか考えられない〝愚行〟だった。

光恵夫婦は、長野市に購入した一軒家に引っ越した。

それからしばらく経って母の吟が訪ねて来た。そして凛子にこんなことを言った。

「光恵夫婦の『株式会社やまおか』の保証人になりなさい」

凛子の前に、銀行借入金の書類が差し出された。

んっ⁉　凛子の怪訝(けげん)そうな顔を見ながら母は、長い間保証人になっていたことを話した。

「『稲荷山の家』には、昔からとてもお世話になっているんだから『保証人』になるのは、お前、当たり前なんだからね」。

母の言うことに凛子は異存なかった。母も私も「割烹陣屋」も、今ある全ては稲荷山の義男伯父の援助があったればこそ、なのだ。しかもその援助は、母吟の醜いおぞましい行いの〝産物〟であることも、また……。

だが、問題はある。書類には金額が書き込まれていないのだ。しかも「株式会社やまおか」の会社自体の「保証人」となっていた。

凛子自身、弟雄一の借金を含めて母から背負わされた総額は諸々で一億円を超える。この膨大な借金返済に追われ、壮太郎を女手ひとつで育てながら昼夜を分かたず働き詰めの、そんな毎日を送っている。

もし「株式会社やまおか」が倒産したら？　「保証人」になることによって、これまで必死に働いてきたことなど全てが水泡に帰すほか、親子二人路頭に迷うことにもなるのだ。二年前の優柔不断さと言い、今回の無計画な借り入れと言い、光恵姉夫婦の経営感覚には疑問符が付く。このままだと、どこまで借金が膨らむか計り知れない。

保証人云々は、凛子自身の将来をも左右する難題だった。

「稲荷山の家」は、今も昔も心の「オアシス」そのものだ。今は亡き義男伯父と次女恵美姉だが、たつ江伯母や長女の光恵姉夫婦にも恩しかない。辛いときや苦しいときなど常に陰ひなたなく、凛子を窮状から必ず救ってくれた人たちだ。

凛子は、鉛のように重い気持ちを引き摺って光恵姉を訪ねた。話しにくいことを伝えなければならなかったのだ。

「今の私の状態では、例えば最高三〇〇〇万円くらいの借金の保証人なら受けられるけれど『株式会社やまおか』自体ともなれば、借金がどれほど膨らむか分からず、私の財力から言っても会社の保証人には到底なれません」

断腸の思いで決断したこととはいえ、天ほどの恩を承知でひたすら額を地に擦り付けて謝る以外なかった。

「私も借金を抱えて子どもを養い、懸命に働いているんです。本当に申し訳ないことですが、許してください」

恩を仇で返した凛子が、いくら頭を下げたからといって済まされるものではなかった。激高した光恵姉がまるで引導を渡すように投げつけた言葉を、凛子は内臓を引きちぎられる思いで聞いた。

「もう凛子ちゃんとは一切、親戚付き合いはしないから！」

幼少のころから最も信頼して変わらぬ光恵姉からの〝絶交宣言〟は、凛子にとってこれ以上ないほどの衝撃だった。何とか修復を図ろうと心を砕いていた凛子を救ったのは、二人に共通した「冠婚葬祭」だった。

会場で何度か顔を合わせた。凛子はこうした機会をきっかけに、光恵姉夫婦が営む「焼き肉店」にしばしば足を運んだ。その都度二人の距離は徐々に縮まっていき、いつしか凛子と光恵姉の間を隔てていたわだかまりは、すっかり消えていた。

そして、以前にも増して信頼し合える、親戚中で一番仲のいい間柄に今は戻っている。

第十五章　血脈の性

厳しい冬から一斉に目覚める信州の芽吹きは眩しい。待ちわびた春の行楽シーズンの訪れに触発されるように、凛子は「キャンピングカー」を見定めていた。

リビングセットにベッド、トイレとシャワー、流し台、ガス台、冷蔵庫と日常生活には事欠かない設備が整っている。週末の登山を日課にしている凛子には喉から手が出るほど欲しいアイテムだ。

小型のキャンピングカーなら比較的安く買えそうだったが、いろいろと見て回っているうちに興味は、次第にグレードの高い大型車へと目移りしていく。

欲しい！　そのキャンピングカーは長さ七メートル、幅二・八メートルで、セミダブルのベッドが後部にあるほか運転席の上部にも寝台があり、何不自由なくワンルームでの生活ができる必需品が揃っている。値段は車体だけで一〇〇〇万円を超える。

この日は見るだけにとどめた凛子だが、それからというもの、このキャンピングカーが頭に住み着いて離れなかった。

もし、買うとしたらローンではなく全額キャッシュと決めている。今、乗っている乗用車はそのままキープしておくつもりだから、下取りの金額を充てることはできない。一〇〇〇万円以上の現金を丸々用意しなければ始まらないのだ。

頭の中で金策を巡らす日々が続いていた凛子は、ふと母の吟に「私、今とっても欲しい車があるのよ」と心の内を漏らした。

母に黙って大きな買い物をした場合、とんでもない事態を招くのは火を見るより明らかだ。買う、買わないは別にしても、どこかの機会に前もって話しておいた方が無難だろうと考えていた。

「その車だけどね、『キャンピングカー』で値段がすごく高いのよ。予算を立ててみたけれど今の私には無理みたいで、どうしても後少し足りないのよね」

「幾らぐらい足りないの?」

「一〇〇万円ほど……」

すると母は、凛子が仰天する言葉を返してきた。

「お前がそんなに欲しいのなら買いなさいよ。その一〇〇万円は私が出してあげる」

えっ! 一〇〇万円、出してくれるの⁉

凛子は驚きのあまり、夢ではないかと自分の頬をつねってみたい衝動に駆られた。これまでの母なら絶対に嫌な顔をして、「そんな金があるなら、私に寄こしなさいよ」と言うに決まっていた。

母から金を要求されてばかりいた凛子にはまさに「青天の霹靂」。何の気まぐれで「一〇〇万円を出す」と言ったのか、どう考えても理解できない。

その一方で凜子は、理屈抜きで躍り上がるほど嬉しかったのも、また事実だった。凜子の記憶に残る限り、母親の吟に抱っこされたことはなかった。着る物は大体が親戚からのお古だ。食事といえば板前さんの賄い。そして学費に至っては、学校からの集金袋を恐る恐る出す凜子は、母に訳も分からず算盤で叩かれた。

おおよそ母が凜子に金を掛けることなど、ほぼ皆無に等しかったのである。水商売に生きる母は目先のことに一喜一憂する性格だった。「おふくろの味 吟」を始めてからはその傾向が著しく、たった一日でも客足が減り売り上げが悪ければ、「もうやって行かれないわ。店は潰れてしまう」。

その都度、凜子は「商売は良い日も悪い日もあるのよ。波があるのは当たり前なの。だからそんなに心配しないで一か月、一年のトータルで見るようにして、いちいち大騒ぎしないの」と諭していた。

金銭面には人一倍シビアな母が、無心するたびに困った素振りも見せず、憎らしいほど右から左へと融通する、あの凜子が初めて「お金がなくて買えないの」と母親を頼ったのだ。こんな娘の姿に、親分肌の吟が持ち前の気っ風の良さを刺激されたとしても、あながち不自然とも言えなかった。

ともあれ凜子は、大喜びでキャンピングカーの購入を決めた。

キャンピングカーともなると、普通の乗用車を買うのとは何から何まで勝手が違うのだ。最初に手を焼いたのは駐車場の確保だった。近所で物色したが見当たらず、仕方なく住まいから離れてはいたが、長野市上松に買ったままほったらかしになっている土地に白羽の矢を立てた。しかし、車庫を建設するに当たり土留め工事が必要とかで、結局三五〇万円の出費を強いられた。

待望のキャンピングカーを乗り出す段になって、さまざまな準備や処理が必要になることを初めて知る。出掛ける前の水入れからはじまって、帰ってからの汚水の処理まで、その都度自動車会社に立ち寄ることとなった。

こうした面倒を差し引いても、車体の大きさからいって普通免許で運転できることはラッキーと思えたし、何より毎週好きな所へ息子の壮太郎と気ままに出掛け、景色のいい場所に駐車して、料理して、宿泊できる喜びは格別だった。

キャンピングカーはまさに「移動式別荘」。楽しみの領域を大幅に広げた。

一〇〇万円を援助してくれたお礼を兼ねて母を誘い、三人でキャンピングカーを走らせて富士山に向かった。

五合目の駐車場にキャンピングカーを止め、そこから馬で七合目まで登る。母を山小屋に残した凛子と壮太郎は山頂を目指すことに。

順調に登り始めた凛子だったが途中で足を挫いてしまう。薄くなる酸素も加わって一曲がりするたびに休む。まさに一歩、一歩ずつ大地を踏みしめる感覚で登る。

富士山の山頂はそこに見えている。なのに、行けどもなかなか近づいてこないのだ。大衆化しているとはいえ富士山は日本一高い山。それだけの厳しさはあったが、やっとの思いで登頂を果たした。

一生に一度は登りたかった富士山を征服した感慨は半端なかった。だが、こうしたひとしおの感激は山頂の鳥居をくぐったところまで、土産物売り場から流れてくる演歌によってかき消されてしまう。

興ざめる凛子は早々に火口へと向かった。火口のへリに当たる場所で壮太郎と並んで座りおやつを頬張ることで、日本一の富士山がかろうじて味わえた。

登る苦しさはどこへやら、帰りは挫いたはずの足が勝手に動いて走り下った。母の待つ七合目の山小屋まで、あっという間の到着だった。

翌朝、凛子と壮太郎そして母吟、三人揃って山小屋から御来光を拝み下山した。

母吟の誕生日は五月十六日。五月の第二日曜日の「母の日」と近接している。そのせいで二つの「記念日」を一回で済まされることが多く、母は常に不満を漏らしていた。

このため凛子は毎年二回分のプレゼントを用意するのだが、好みが難しい母のことだけに無難さを優先して、デパートの商品券で一万円を二包と決めていた。

この年は、凛子の商品券に孫の壮太郎からの贈り物も加わることになった。「僕もおばあちゃんにプレゼントする」と、小学生の壮太郎が言い出したからだ。

一人で大型スーパーに行った壮太郎は、襟元が大きくえぐれたデザインで吟の好みの色のグリーンの春物セーターを選んだ。プレゼント用にきれいに包装してもらってきた壮太郎の嬉しそうな顔を見て、凛子も心がほっこりとして自然に微笑みがこぼれた。

「まあ、壮太郎もおばあちゃんにプレゼントをくれるのかい、嬉しいねえ。ありがとう」

凛子と壮太郎からのプレゼントを前に上機嫌の母は、商品券の包みを開けた途端に豹変した。「こんな物は要らないわ。現金にしておくれ!」。商品券を箱ごと凛子に突っ返した。

商品券だって金券だから現金と同じじゃないの、とムッとした凛子だが、言い出したら聞かない母に逆らっても無駄なことぐらいは分かっている。仕方なく商品券を引っ込めて新たに現金で二万円を渡した。

数日後、泊まりに来た母がまたまたとんでもないことを言い始めた。

「この前もらったセーターさ、あんなの私にはきつくて着られなかったから、友だちにくれちゃったからね」。目の前の壮太郎には目もくれずに言った。

凛子は慌てて息子を覗き見た。目を曇らせて俯いている姿に、母親としての怒りが込み上げる。「サイズが合わないなら、いくらでも取り換えられたのに。言ってくれれば良かったじゃないの！」と凛子は、食って掛かった。

こうした母に凛子はこれまでも数えきれないほどの苦汁をなめさせられてきた。しかし今度は、孫で小学生の壮太郎に対しての仕打ちだ。しかも勇んで初めてプレゼントした純真な小さな心を、事もあろうに祖母の立場の吟が、無残にも踏みにじったのだ。

自分の母でありながら、あまりにデリカシーを欠いた態度に胸が押し潰された凛子は、冷ややかに吟を睨んだ。「何とわがままで酷い人なのだろうか」。

母吟の祝い事は「誕生日」と「母の日」だけではない。「正月」に始まり「お盆」や「敬老の日」、さらに旅行ともなれば必ず小遣いを渡している。

その凛子に対して吟は、それぞれの「祝日」一か月以上も前から繰り返し、「何月何日は○○の日だからね」と念押しする。

か、と思えば最近は、凛子に対して妹や弟の嫁の名前を引き合いに「○○からは一万円をもらったよ」と暗に催促し、逆に彼女らには「凛子からは二万円もらった」と〝競争心〟

を煽った。

もちろん、これは母の方便、作戦なのだ。まだ誰からも「祝儀」は贈られていないうちに仕掛ける。効果てきめん、この手口で親戚からも「お祝い」をせしめていた。

味を占めた母は数年ほど詐欺まがいの手法を繰り返した。だが次第に気付かれ始め、今ではただ冷たい目を向けられるだけだ。


ウイークデーは仕事に明け暮れる凛子だが、週末ともなれば趣味の山登りを楽しみ、また希薄になりがちな壮太郎とのコミュニケーションを兼ねて、一緒にキャンピングカーで出掛けていた。だが、いつのころからか、壮太郎に以前のような素直な喜びが見られなくなった。

親離れ⁉　凛子は、自分の肌から何かが一枚一枚薄く剥がれていくような、はかない疎外感を壮太郎から感じていた。

ある夜、「くらぶ凛子」で接客していた凛子は、体調がすぐれないことから途中で三階の自宅に戻った。部屋に入った凛子は、心がざわめく不愉快な光景を目にした。

子守を兼ねた家事手伝いの花森えみ子に抱っこされ、炬燵でテレビを見ている壮太郎の甘え顔だった。しかも、えみ子が凛子を一瞥しただけで立ち上がろうともしないでいるのも気に障った。

「ちょっと具合が悪いから早めに帰ってきたの。お茶を入れてちょうだい」と凛子は、不機嫌に言った。えみ子は返事をする代わりに「壮太郎君、待っていてね」と言って炬燵からもぞもぞと出て、薄い出がらしのお茶を持ってきた。

それからえみ子は、寝かしつけるため壮太郎を寝室に連れて行った。かなりの酒が入っていた凛子は炬燵に潜り込み、いつしかうたた寝をしてしまっていた。と、何かの気配を感じて目を開けた凛子がそこに見たのは、何と寝ている自分の頭を跨いで通るえみ子の姿だった。

驚いて飛び起きた凛子は、腹立ち紛れに大声で怒鳴った。「ちょっと、えみ子さん！私の頭を跨ぐって、一体どういうつもりなのよ！」。

えみ子はただただダンマリを決め込んで横を向いて目を伏せるばかり。謝るでもない不貞腐れた態度はさらに凛子の気持ちを逆なでする。

業を煮やす凛子は、酔いと具合の悪さが重なって一層大声でがなり立てた。騒ぎに気付いて寝室から起きてきた壮太郎は、凛子が「えっ⁉」と思う間もなく、小走りにえみ子の腰の辺りにしがみ付いた。そして敵意に満ちた白い眼を、事もあろうに母親の凛子に向けたのだ。

壮太郎のその目に宿る憎しみが増すのを感じた凛子は、声をすぼめた。

その日から、あの突き刺すような壮太郎の目線が、凛子の頭から離れず、事あるごとに迫ってきた。

何より大切な壮太郎を守るために朝から晩まで働き、飲めない酒を浴びてヘロヘロになるまで頑張っているのに……。その何物にも代えがたい我が子の心を、子守を任せた他人に支配されてしまった。

子どもを他人に任せることで孕む（はら）リスクを肌で感じ取った凛子は、その恐ろしさに身震いするのだった。


休み明け、「割烹陣屋」の酒やウーロン茶、ジュースといった類の飲み物が、休み前より少なくなっている――。こんなちょっとした〝事件〟が頻発していた。

「女将さんが、えみ子さんに飲み物を『自分の部屋に持ってくるように』言いつけているんですか?」。店の勝手場から凛子に苦情が寄せられた。

同じことを何回も言われる凛子は、ほっておくこともできず確認のためにと、えみ子立ち合いで住み込みの部屋を見せてもらうことにした。

するとどうだろう、部屋の壁際には酒の「一升瓶」がズラリと並び、洋服ダンスの中にはウーロン茶やジュースのボトルがぎっしり詰まっている。さらに引き出しの中は、凛子が吸っているタバコの「ミスタースリム」でいっぱいだった。

驚いた凛子が質すと、えみ子は「自分が近所の『北条酒店』で買ったものです」と悪びれずに答えた。しかし部屋にあった酒類は「陣屋」で出している銘柄ばかりで、「北条酒店」では扱っていないものだ。えみ子の嘘は明らかだった。

住み込みで働くえみ子には食住を保障した上、一〇万円の月給も支給している。見る限りそれほどお金に困っている様子もない。酒もタバコも自分で買えるはずなのに……。

怒りが込み上げる凛子の追及は自然ときつくなるのだが、えみ子は頑として〝犯行〟を認めようともせず、謝る素振りすら見せなかった。

えみ子には、このほかにも問題が多かった。

日常の些細なことで言えば、部屋の中でゴミ箱の置き場所を巡って「ここではなくて、部屋の隅に置いてね」と凛子が、何度注意しても改まることはなかった。

食事については悲劇的だった。夕食は店の「賄い料理」を三階の部屋まで運んでくれるのだが、その夕食の「おかず」が翌朝の食卓に並び、残るとさらにそれが昼食にも使い回されるのだ。「せめて一品でもいいから、手料理を作ってくれない?」。凛子のオーダーが、食卓に反映された例(ためし)はなかった。

えみ子への憤懣(ふんまん)やるかたない凛子だったが、夜に壮太郎を独りにしておくこともできず、そうかといって住み込みで子守をしてくれるお手伝いさんが、そうたやすく見つかるわけでもなかった。

山ほどの不満を抱えながら我慢を強いられる凛子は、自ずとえみ子に対して強く当たることが多くなっていた。それでもえみ子は相変わらず反省の色を見せるわけでもなく、素知らぬ顔を通し続ける。その一貫した態度は、ある意味で立派としか言いようがなかった。馬の耳に念仏、暖簾に腕押し……。こうしてやり過ごすえみ子に、凛子はますます感情的になりストレスが積み上がり、ついにえみ子を辞めさせる決心をした。

壮太郎から白い眼を向けられた時から凛子は、息子は他人任せにしないと決め、自分の手で育てることにしていた。しかし凛子にのしかかる極めて厳しい現実が、それを阻んで今日に至っていた。ただ忍耐にも限界があった。事ここに至り覚悟せざるを得なかったのだ。

子守がいない分、凛子はこれまで以上に早起きをして朝食をきちんと作り、壮太郎を学校に送り出した。夜は夜で仕事の合間に店を抜けて自宅に戻り、壮太郎の様子を見ながら一緒の時間を持った。だが、壮太郎を一人にしてしまう時間は、どう工夫しても増えていた。壮太郎が中学生になると、凛子は手作り弁当に精を出した。母子の間にできていた距離も次第に縮まり、わだかまりも徐々に消えていく。そして壮太郎は呪縛が解けたように、えみ子との関係性について打ち明けた。

凛子から怒られてばかりいたえみ子は、夜な夜な壮太郎に凛子のことを悪く言って憂さを晴らしていたようだ。

さらにえみ子は、精神的に幼い壮太郎にとって絶対的な存在として君臨しており、機嫌が悪いと口も利いてもらえないため、絶えず顔色をうかがう毎日だったそうだ。

凛子は頭を金槌で叩かれたような衝撃を受けた。子育てに良かれと思って雇った子守によって、逆に壮太郎の心を閉ざす結果を招いてしまっていたのだ。

えみ子を辞めさせたのは正解だった。それもせずにいたら、唯一人の大切な息子を失っていたところだった。すんでのところで気付いて良かった、と凛子は胸をなでおろした。

あるとき、キャンピングカーを購入した会社の河崎オーナーから凛子に、住宅を建てないかという話が持ち込まれた。

河崎オーナーはアメリカン仕様の住宅販売も手掛けていて、キャンピングカーの車庫を建設したときから、長野市上松の土地の素晴らしい景観が気に入っていたのだという。

長野市街地を眼下に遠くは志賀高原方面の山々を一望する、そんな高台に建つ住宅は絵になる。「宣伝用にも使いたいし、格安で建てますよ」と河崎オーナーは売り込んだ。

話を聞き、パンフレットに興味をかき立てられ、大いに乗り気になった凛子は、家の新築を決めた。

住宅は「ツーバイシックス」という工法で、「くらぶ凛子」の常連客で設計事務所の奥宮所長からアドバイスをもらうなどして、凛子の意向に添った設計図は六回も引き直して出来上がった。

凛子が望んだとおり格安で、それでいて小さなお城のような満足がいく住宅が完成した。親戚、知人を招いてささやかな新築披露の宴を催した凛子は「一国一城の主」として皆から祝福された。とても嬉しく誇らしいひと時だった。


「割烹陣屋」の勝手場洗いのたえ子が、いつもの時間になっても出勤して来なかった。無断欠勤は翌日も続き、心配になった凛子は同じ勝手場の同僚中村に、自宅を訪ねて様子を見てくるように言った。

「たえ子さんが家の中で亡くなっています！」。駆け戻った中村が青くなって叫んだ。

凛子が以前、従業員用宿舎として買い求めた店の裏手にある一軒家が、たえ子の住まいだ。凛子が駆け付けてみると、たえ子は居間の炬燵で穏やかな寝顔のまま眠ったように横たわっていた。部屋に乱れた様子はなく、炬燵台の上には食事を済ませた茶碗や皿や箸がきちんと綺麗に置かれている。

通報に大勢の警察官がやって来て現場検証を始め、医者の検死も行われた。病院以外で人が亡くなるということの重大さを、凛子は初めて実体験した。

凛子がたえ子を知ったのは中学生時代。確か、若い板前と一緒に「割烹陣屋」で働きたいと言って来たことを記憶している。ところが今回、たえ子の死に直面して連絡すべき家族すら知らない現実に、凛子は唖然とする思いがした。

その後、いろいろな人たちの話によって分かったのだが、たえ子は新潟県の出身で結婚して三人の子どもがいた。だが、息子ほども年の差がある板前と駆け落ちし、夫と子どもを捨てて長野に来たというのだ。

二人は数年働いた後、群馬県高崎市で「店を持つ」と言って、「割烹陣屋」を辞めた。その後、高崎の店は順調だと風の便りに聞き、長野で二人を知る人たちは、てっきり幸せに暮らしているものとばかり思っていた。

ところが一〇年ほどが経ち、二人のことは噂にも上らなくなったある日、たえ子が一人で「割烹陣屋」にひょっこり顔を出した。そして「ここで、また働かせてもらえないでしょうか」と頼み込んだ。

高崎では開店当初、店を盛り上げるため二人は力を合わせて一生懸命に働いた。その甲斐あって店は繁盛し経営的にも安定した。そうなると今度は、若い板前の彼が次第に女遊びなど遊興にうつつを抜かすようになり、母親ほども年上のたえ子をぞんざいに扱い始め、しばしば手を上げるようにもなった。その挙句、たえ子は彼に追い出されてしまったのだ。駆け落ちして「割烹陣屋」で働くたえ子が、仲居として和服姿でお座敷に出ていたのは、もう一昔前の話になる。

たえ子は、配膳や食器類の洗いといった勝手場の仕事で〝復帰〟した。

こうした経緯も何も知らなかった凛子は、何とか身寄りを探し出して、たえ子の死を伝えなければならないと焦っていたが、手掛かりは遺品しかなかった。そして辛うじて分かった新潟の実家を足掛かりに、子どもたちの連絡先を突き止めた。

凛子は早速電話を入れた。

ところが、当然と言えば当然の反応なのだが、いずれの子どもたちも凛子の連絡に困惑し、一線を画そうとする雰囲気が、受話器を通してありありと伝わってきた。

「お母様のご遺体をいつまでも放置できないので、一日も早く葬儀を出したいと思っています」

「私たちは行かれませんので、そちらで進めてください」

突き放すように答える子どもたちに、凛子は「遺品を整理していましたら、残高が四〇〇万円を超える郵便貯金通帳が見つかりました」と、敢えて報告した。。

「そのお金は……　葬式に使ってください」。口をそろえる子どもたちに取り付く島もない凛子は、仕方なく葬儀を手配した。

葬式の当日、来られないと言っていた子どものうち結婚している二人の娘と、たえ子の姉の息子の甥が駆け付けて出棺に間に合った。

告別式、お斎を終えた後、凛子は娘たちと話し合う時間を得た。そこで初めて、子どもたちが実母たえ子に対して抱き続けた気持ちを知ることができた。

二人の娘が語ったところによると、たえ子の子どもは一男二女の三人。駆け落ちした当時、小さいながらも「母のたえ子が家を出ることは知っていた」そうだ。それは「家を出るときは一緒に連れて行くから」と聞かされていたからだという。

ところが実際には置いて行かれてしまった。「だから、私たち子どもは母を恨んでいます」二人の娘は言い切った。

一方で、父の後妻に入った継母がとてもいい人だった。今回いくらたえ子が亡くなったからとはいえ、実母以上に「私たちを大切に育ててくれた『母』の恩に背くことはできません」と話す。

その上ですでに嫁いでいる娘たちは、たえ子の「遺骨を持って帰る場所はありませんから」と話し、さらに新潟に住む甥も同じように「実家の墓には入れられないので、遺骨を引き取ることはできません」と、はっきり拒絶の意思を示した。

「そこを曲げて、どうか、お骨を引き取ってもらえませんか?」。懇願する凛子の声は、遺族たちにはどうにも届かず、反対に凛子が説得される側に立たされてしまった。

「母の残した蓄えがあるのも分かりました。その貯金を葬儀費用に充ててもらい、残りは、何かとお世話になった女将さんが受け取ってください」と二人の娘は言う。「私たちは母の残したお金など一銭たりとも受け取れません。これは子どもたち三人全員の考えです」。

行き場を失うたえ子の遺骨は、凛子が何とかするしかなかった。とはいえ、こうした事態は経験したこともなく、どうすべきか皆目分からない。思い、悩み、迷い、辿り着いたのが〝ご近所〟の「善光寺さん」だった。

知り合いの善光寺の「坊」若御台有祥住職に相談した。凛子は救われた思いで、たえ子の遺骨を善光寺雲上殿に納めることができた。

この間にも凛子は、たえ子の死後手続きなど諸々について三重県に住む長女と度々連絡を取り合っていた。長女はとても聡明で、凛子の相談をその都度適切に判断してくれた。

その中に、たえ子が残した四〇〇万円を超える遺産の件もあった。葬儀や納骨などの費用を差し引いても三〇〇万円近く残ったが、子どもたちの意向に従って凛子が受け取った。

たえ子が納骨されている雲上殿は、凛子が上松に新築した家への通り道にある。普段は店があるビルの三階を住まいにしている凛子だが、休みの日にはこの家に行っていることから、その道すがら度々お参りに立ち寄った。

たえ子の「納骨番号」を受付で伝えると、広い仏間に案内される。しばらくしてたえ子のお骨が祭壇に納められる。凛子はそれを待って手を合わせるのだった。

官公庁の多くが「割烹陣屋」を利用している。トップが代わっても前任者から引き継がれるのが常だった。

この夜も、国の出先機関の新任局長が店を訪れた。この出先機関のトップである局長は、大体二年ほどで異動するのだが、歴代「陣屋」を贔屓にしてくれている。

母の吟が凛子の家に泊まりに来て、興味津々の様子で「今度の局長さんは、どんな方なの？」と聞いた。

新局長は足が不自由らしく片足を少し引きずっていたことから、「少し足がお悪いらしいけれど、今度の方も『陣屋』を気に入ってくださった様子で良かったわ」と凛子は、感じたままに話した。

それから三度目の来店となった新局長は接待される側の〝主賓〟で、二〇人ほどの宴席だった。凛子はいつものようにお座敷で、女将としての挨拶を済ませた。

ところが、これを待っていたように新局長が「本日、この店に私どもの設営をしてくださったのは、どこのどなたでしょうか？」。いきなりの発言に凛子をはじめ座の皆が一瞬きょとんとした。が、怒気を含んだ言葉に宴席は不穏な空気に支配された。

「私はこの店よりも、この少し先にある『おふくろの味 吟』という店の方が好きなんですよ。こんな女将のいる店で接待を受ける気はありません」。新局長は言うだけ言って、席を蹴って部屋から出て行ってしまった。

引き留める間もなく新局長の後を追うお付きの職員、訳も分からず慌てふためく接待側とで、宴席はまったく収拾がつかなくなってしまった。

凛子は、新局長が「おふくろの味 吟」を引き合いに出したことから、ピンと来ていた。

「また、母の仕業だ」

吟は盛んに新局長に会いたがっていた。このため凛子が二次会と称して「陣屋」から「おふくろの味 吟」に連れて行ったことがあった。

母の吟は他人の物を何でも欲しがる。自分の物にするためには手段を選ばないことを公言して憚(はばか)らない人だ。新局長の足のことで私を「悪者」に仕立てたのだろう。

きっとそうだ、そうに、違ない――。凛子にはこの理由しか頭に浮かばなかった。

果たして、凛子が当たりを付けたとおりだった。

「お母ちゃん、局長さんに何か言ったでしょ」

「だって、お前が言ったんだろう」

「えっ！　私は『足が少しお悪いらしい』って、言っただけじゃないの。それなのに何でわざわざ、差別するような蔑んだ言い方をしたのよ」

呆れ返る凛子は腹立ち紛れに、こんな例えを持ち出して言い返した。

「あのね、お母ちゃん！『豚は太らせてから食べるもの』と言うでしょう。私のお金を欲しがるのなら、何でそんなに私のことを世間に悪いようにばかり言いふらすのよ。『割烹陣屋』がお客様からそっぽを向かれ、人気が落ちれば儲けもなくなる。そうすれば、お母ちゃんにお金を上げることもできなくなるのよ」

こんな道理も分からないのか、とばかりに言葉を投げつけた。

「分かった⁉　豚は太らせてから食べるものなのよ！」。

「割烹陣屋」「くらぶ凛子」にとって大得意の客は何人かいる。が、しかし、全てが「上客」とも限らないのが、この商売の悩ましいところだ。

そうした一人に多田啓一という大変酒癖の悪い客がいた。多田は県など行政機関に大きな影響力を持つ団体に所属し、接待を受けることが多かった。

行政側の異動に伴う宴席の場合、新任の部課長に対して酒の力を借りる形を装って、多田は「最初が肝心」とばかりに必ず高飛車な態度を見せる。何だかんだと難癖を付けてヤリ玉に上げるのだ。

酔うほどにギュッという目に合わせる多田は、頃合いを見計らって凛子の膝に合図を送り、仲介させてその場を収めるのが常套手段で、凛子はこれを「多田の洗礼式」と呼んでいた。こうして多田が、接待の場を利用して自身の力を誇示して見せることで、より優位に立って事を進めようとする魂胆が推測できた。

さらに多田の困るところは、自分が気に入ったホステスを「いじめる」という癖だ。中でも苦労してスカウトしたかわいいホステスを多田の席に着かせると、そのホステスは翌日から店に来なくなり、欠勤したまま辞めてしまうのだ。だからといって、気に入ったホステスを席に着けなければ、怒り出す始末の悪さだった。

ホステスを取るか、上得意の客を取るか――。凛子は店の存続に関わる選択に迫られる出来事に見舞われる。

あるとき「くらぶ凛子」で飲んでいた大勢の客が「おふくろの味 吟」へと二次会に繰り出した。その中にしたたかに酔った凛子や多田、新しく入ったばかりのホステスも一緒だった。

途中、多田がいつもの調子で新人ホステスをいびり始め、最後には泣かせてしまう。これを目にした凛子は堪忍袋の緒がプッツリ切れ、夜中の路上で大喧嘩が勃発したのだ。

騒ぎで近くの「おふくろの味 吟」から母や従業員たちも「何事か」と、店から出て来て遠巻きに見守っている。

言い争う二人は泥酔している。多田に一歩も引かず対峙する凛子。口角泡を飛ばす女将に、客としての自尊心を傷つけられた多田は激高し、酔った勢いもあって手を上げた。

殴られた瞬間、あまりの衝撃で転びそうになった凛子は、必死に何かに掴まろうと反射的に手を伸ばす。その右手が偶然にも多田のネクタイを掴んだ。倒れ掛かる凛子の体重も加わってかなりの重力で引っ張られたネクタイは一気に締まり、首を絞められた格好となった多田は苦しそうに喘いだ。

ハッとした凛子はすぐにネクタイから手を離したが、今度は多田が凛子に意図的に首を絞められ殺されそうになった、と大騒ぎし出したのだ。

喧嘩は尾を引いた。

「凛子さんに首を絞められた」。多田は世間に言いふらした。「『おふくろの味 吟』のお母さんも、凛子さんが自分に『馬乗りになって首を絞めているのを見た』と証言している」。冗談じゃない！　憤慨した凛子は、母吟の所に押し掛けて〝偽証〟を問い質した。

「あのとき、私が転びそうになって偶然ネクタイを引っ張ってしまっただけでしょう？　それですぐに手を離したし、多田さんの体になんて乗っていないじゃないの。何でそんな嘘をつくのよ！」

凛子の怒りを、どこ吹く風とばかりにサラッと受け流した吟は、事もなげに「私はね、お前より客の方が大事だからね」と言った。

凛子は唖然として開いた口が塞がらなかった。

母の性格の悪さは身に染みて分かっているが、絶対に客の注意を逸らさない接客の手腕は、同業の先輩として尊敬すらしてきた。一方で、商売のためなら我が子を陥れて平然としているのが、母の吟でもあるのだ。

お金を工面させるなど都合のいいときだけ「母親面」をするのは許せるにしても、今回の嘘は母親として、してはいけない娘への最大級の裏切りだった。泣いても泣ききれない凛子は、絶望と恨みが心の奥底に沈殿した。

それは喧嘩から二、三日後に始まった。多田の〝報復〟と思われる嫌がらせだ。多田の所属団体からは、毎日のように何十人規模の宴会予約が入るのだが、直前になってキャンセルされることが相次いだのだ。

予約を受けた段階で大広間を確保する。たとえ「ドタキャン」が予想されても、後から入る大広間用の宴会予約は断るしかなかった。こうした〝営業妨害〟は、ボディーブローのように「割烹陣屋」の経営を圧迫し始めていた。

多田はどちらかといえば凛子に好意を持っている。今回の一件は、「かわいさ余って憎さ百倍」の仕打ちだろう、と想像はついているが、それにしても悪質だった。

店も自分も守らなければならない凛子は、事の顛末を文書にすることを思い立つ。多田が吹聴している喧嘩の本当のところを、関係各位に知ってもらおうと考えたのだ。

書いた内容は、あのとき一緒で一部始終を目撃していた県の課長補佐に見せた上で、「間違いない」との言質を得た。

こうして周到に準備した文書を持った凛子は、店に大きな影響を及ぼし多田とも関わりのある行政機関に直接足を運び関係部署を回った。

「事実はこういうことなんです。是非お読みになってご理解ください」

半面、凛子の心が揺れ動いていたのも事実だった。大の「お得意様」である多田を失うことは、店にとって小さくない打撃なのだ。それでもあえて決別を覚悟した。

このような卑怯な手を使い、私を困らせる多田は絶対許せない――。凛子の矜持であり意地でもあった。「唇を噛み切ってでも私は謝らない。どんなことでもグッと耐えて、この難局を乗り切ってやる」。凛子は心の底から多田を切り捨てた。

こうした実力行使は凛子のささやかな抵抗ではあったが、最初に文書を見せられ事実確認を求められた県の課長補佐は、多田に「あの文書があちらこちらに出回ったらまずいことになる」と知らせていたらしいことが、後になって凛子の耳にも入ってきた。実際のところ文書が出回ることはなかったのだが……。

それから一か月以上も経ったある日、凛子はいつものとおり一階事務室で帳簿整理などの仕事をしていた。そこに何の前触れもなく「話がある」と言って多田が現れた。「どんな御用でしょうか?」。驚きを隠し平静を装う凛子は、多田を座敷に通し努めて冷静に応対した。

すると多田は、さっと両手を畳について「誠に申し訳なかった」と言うと、いきなり頭を下げた。「この度の喧嘩の件は、私に原因があった」。神妙な面持ちの多田は、感情を押し殺した凛子の表情をうかがいながら、謝罪の言葉を繋いだ。「その上『首を絞められた』とか、凛子さんを窮地に追い込むようなことを言ってしまい、本当に申し訳なかった」。

凛子が身に纏う鎧は少しずつ取り除かれていく。

「凛子さんの悪口を他人に言いふらす行為は『天に唾する』のと同じで、その唾が自分に返って来ることが良く分かった。この度のことは、どうか許してほしい」

多田のことは絶対に許さない、と凛子は怒りに震えて自分自身に誓ったはずだった。だが今、目の前で何度も繰り返し許しを請う多田がいた。

想像もしていなかったまさかの展開に、息を押し殺すように張り詰めていた凛子の気持ちが一気に砕け散った。その反動で目から涙が止めどなく溢れ出た。

凛子は多田の謝罪を受け入れた。憑き物が落ちたように気分は高揚し、元の鞘に収まった多田との関係に安堵した。

二人はお茶を飲みながら、仲を裂いていたわだかまりを解いていった。

「それにしても……」。緊張がほぐれた多田は呆れたように「あんたのお母さんはどういう人なんだろうね」と話し始めた。

「俺が『首を絞められた』と言った言葉に輪をかけてさ、『凛子が馬乗りになって首を絞めているところを、私も見た』と言ったもんだから、さすがに俺も驚いたよ。凛子さんのお母さんだろう？　酷い話だな」

「骨肉の争い」という言葉がある。一度でも崩壊した関係性を修復するには、赤の他人より血のつながっている肉親の方が何倍も厄介だ。

母の吟は、なぜにここまで娘の私を憎むのだろう――。凜子、生涯の悩みがここにある。

弟の雄一家族が再び長野に戻っている。

弟は「割烹陣屋」の跡取りとして、茨城県土浦市のカメラ店に勤めていたところを連れ戻された。だが水商売には向いていないとして店を辞め、母が買い与えた一軒家で写真館を始めた。しかし経営に行き詰り二年ほど前に、かつて住んでいた土浦に引っ越していた。

再び長野に帰って来た弟は、家族と共に須坂市の妻幸子の実家で暮らし、長野市内のカメラ店で働いている。


一方、母の吟は相変わらず店が休みの日は、凜子をはじめ親戚や友人宅を泊まり歩いている。そして、決まったようにそこいら中に凜子の悪口を吹聴しているようだった。

嘘の話を〝創作〟してまで悪く言われる理由が見つからない。だからこそ余計、周囲にどう見られているか、人の目が気になるし不安も募る。母の後をついて回って打ち消したいが、それもできないでいる。

私は、何一つ悪いことはしていない――。ただこれだけを支えに、目の前に横たわる「割烹陣屋」と「くらぶ凜子」の経営、母吟が残した借金の返済と子育てに専念することを、凛子は自分に言い聞かせた。

凛子は「割烹陣屋」を引き継いだ折、母と交わした諸々の約束がことごとく破られた。これに憤慨し、母と袂を分かち新たな「割烹店」を開きたいと考えたことがあった。

その際、凛子と同じように親から観光会社を受け継いだ高木社長に相談を持ち掛けた。すると社長はこう言って凛子を思い留まらせたのだ。

「親なんてものは後、数年もすれば段々大人しくなるものだよ。一〇年も我慢すれば凛子さんの天下になるのだからね」

だが、その一〇年は過ぎた。年齢と共に性格が丸くなるどころか母吟の〝悪事〟はますます先鋭化し、凛子は以前より酷い目に遭わされている。

つい最近、母の部屋に入り浸っている坂上という年増のホステスから聞いた話がある。もちろん母が言っている悪口だ。

「凛子は私の店から家賃を取っているのよ。親の私からね。それでも私が家賃を凛子の所へ持って行くと、部屋の玄関から手だけ出してお金を受け取り、さっさとドアを閉めて私を追い払うのよ」

例によってまったくの作り話だが、母の店「おふくろの味 吟」の家賃を取っているのは事実だ。店の場所が「有限会社陣屋」名義の物件のためで、実際の相場が一か月一〇万円のところ三万円で済ませている。その家賃にしても、母が「陣屋」を辞めた後も生活支援として毎月渡している二〇万円から天引きしている。

したがって母が、わざわざ凛子の所まで家賃を現金で持って来る理由もなければ、必要もないのだ。加えて言えば、母が居住する「コーポウエストハーバー」の一室も、その地下の店と同様に会社の物件で、本来家賃が発生する。だが商売として収入が見込める店舗とは異なる住居については、家賃を納めてもらうには忍びないからタダにしている。

こうした凛子の配慮も無にして悪口のネタにしてしまう母吟は、一五〇〇万円で会社名義にするとした「割烹陣屋」のビルの名義変更にも、「あの金は、私の退職金だ」とうそぶいて、未だに応じていない。

なのに、凛子は「陣屋を辞めた母に『給料』を渡す必要はない」と、内心思いながらも、月三〇万円から二〇万円に減額したとはいえ、依然として支給している。

何よりもお金に対する執着心が強い母のこと、給料を差し止めた場合、どんな騒ぎを引き起こされるか分かったものではない。リスク回避のための二〇万円だと凛子は割り切るしかないのだ。

しかし母の言動からして、この程度の「給料」がリスク回避に役立っているのか甚だ疑問だ。日ごろから小遣いをねだられ、定期預金通帳や保険証書を凛子の部屋から勝手に持ち出しては解約してしまう。その上、凛子を貶める悪口のオンパレードなのだ。

元来、口の激しい母は喋る際の「ＴＰＯ」をまったくわきまえない。また、嘘でも真実のように思い込ませる話術で、相手を信用させてしまうから始末が悪い。

女手ひとつ、一代で「割烹陣屋」をここまで築き、まだ十分現役で頑張れるのに潔くサッと身を引いて、店をはじめ全ての財産を娘の凛子に譲渡した—絵に描いたような「賢母」の姿が、その言葉一つ一つに信ぴょう性を与えている。

だからこそ、母吟が口にする娘の虚像こそ、世間では実像であり、「凛子さんって、母親に冷たくて酷い人なのね」と言われることが、凛子の〝恐怖〟になるのだ。


母親によって人格をズタズタにされた娘が抗する唯一の手段が直接対決なのだが、諌める凛子に決まって吟が繰り出す〝決め台詞〟がある。

「お前の顔は父親にそっくりだよ。私は、お前の父親が大っ嫌いだったんだよ」

父親のことを持ち出されても、物心がつくころにはすでに両親は離婚していた。後年、母の実家で「凛子ちゃんのお父さんは『忍』といってね、とてもハムサムですごく優しい人だったよ」と聞かされたことはあった。

だが、写真ですら顔も見たことのない父親は、凛子にとって実体が伴わない存在だった。

しかしなぜか、母から父親のことを言われるたびに凛子は身が縮む思いに駆られる。何か悪いことでもして叱られたときのように萎縮してしまうのだ。

こうした凛子であっても、幾度となく母の醜さを見せつけられてきただけに、いつしかこう思うようになっていた。

「私は母に似なくて良かった。父に似ていて本当に良かった」。見知らぬ父に感謝する。

凛子は母に何度も金を騙し取られている。その都度「もう二度と騙されないぞ」と自分に言い聞かす。ところが、泣きつかれたり口説かれたりすると、性懲りもなく母の願いを叶えてしまう。

認めてもらいたい、かわいがってもらいたい――。小さいころから憧れていた母への変わらぬ「思慕の念」が、凛子をそうさせてきたのは間違いない。加えてこのごろは「私の体の中に優しい父親の血が流れているからだろう」と、懲りない自分を擁護していた。

ここ数年、日常の中でこんなにも母親の愛情を渇望していたのか、と凛子自身が悟らされることが多くなった。その一例がテレビで、「ファミリードラマ」などにはついつい感情移入してしまう。

特に母と子を扱った物語には訳もなく感傷的になる。前後の脈絡に関係なくたまたま見た一シーン、あるいは画面を見ていなくても子どもが「お母さ～ん」と呼ぶ声が流れてくるだけで、涙腺が壊れてしまったように涙が溢れ、そして嗚咽までしてしまう。

もともと凜子は「家族愛」「親子愛」に弱いのだが、ここまでの〝症状〟に陥るのは、母との関係性に影響されていたからに違いなかった。


母吟の悪いところを挙げるとしたら、それこそ枚挙に暇がない。

日常生活でいえば、まず片付けができない。服はたたんだことがないし、洗濯もあまりしたことがなく、下着は風呂に入ったときにつまみ洗いするのが関の山。

また洗剤を使って食器類を洗うことはしない。水道の水にかざして済ますだけなので、凜子は母の家に行く際には、自ずと自分の湯飲み茶碗を持参するようにしていた。

さらに不潔極まりないのだが、手や顔を洗わない。「もちろん」と言うのもおかしいが、トイレ後の手洗いもしたためしがない。

商売柄、常に化粧はしているのだが、朝起きて洗うことのない顔にファンデーションを重ね塗り。頬紅と口紅は指で塗ってお仕舞い。その指はテーブルの台拭きや炬燵掛けの端っこに擦り付ける始末だ。

寂しがり屋の母の部屋にはしょっちゅう誰かどうかが入り浸っているが、休みの日ともなれば母自身が必ず誰それ宅を泊まり歩く。それはいいのだが行った先々で家の中を見て回る癖がある。自分がもらえそうなモノを物色するためで、大方の場合、帰宅する際には見定めたモノが母の〝手中〟にあった。

母の不作法な習慣はどこでも〝発揮〟された。

魚を食べるとき、箸ではなくて直接手でほぐす。他人の家で食事をご馳走になるときにも同じ食べ方をして、魚の脂が付いた指先を布団など辺り構わず拭くので、さすがにひんしゅくを買う。ところが苦情は、母にではなく凛子に向けられるのだ。

凛子が運転する車の助手席に母が乗ったときのことだった。

走行中に痰がからんだらしい母は、ティッシュを取り出すこともなく自分の手の平に吐き出した。その直後、事もあろうに手の平に受けた痰を、車の窓ガラスにこすり付けたのだ。躊躇なく、ごく当たり前のように——。

「何をするのよ!」。凛子は怒った。だが、もともと凛子の言うことなど何とも思わない母はそっぽを向き、さも憎々しげに嘆いて見せた。

「あぁ、イヤだ、イヤだ。まったくお前は、母親の私の箸の上げ下ろしにまで文句を言って、つくづく親不孝な娘だね!」

周囲に不快感を与えるこうした母の言動について凛子は、「悪気があってのことではない。迷惑行為の自覚すらないのだ」からと、かなり贔屓目に見る。また、こうでも思わなければやり切れないし、自ら慰めようもないのだ。

しかし、母吟のどうしようもない気性の激しさは至るところに現れる。

「言った」「言わない」の話で、母が「こう言っていた」としてトラブルになったとしよう。

「私は絶対にそんなことを言っていない。誰がそんなことを言っているのか、ここに連れて来なさいよ」とシラを切る母。それならばと、その「誰かさん」を呼んで対面させる。

すると母は、待ち構えていたように機先を制する。「アンタ、嘘を言うんじゃないよ！私がいつそんなことを言ったの！」。母の剣幕に「誰かさん」は怯え、オドオドするだけで何も言えなくなってしまう。

絶対に非を認めない。どんなことをしても「私は正しい」と押し通してしまうのが、母吟という人なのだ。

このため母は常に周囲との諍い（いさか）が絶えない。これは決して「対岸の火事」では済まされず、凛子もしばしばとばっちりを食う。

母が勝手に喋る喧嘩相手の悪口の聞き役になっていただけの凛子が、「凛子も私と同じことを言っているよ」といつの間にか、母の同調者に仕立て上げられる。

「もう私の前では、他人の悪口は言わないで」。無駄と分かっていても凛子には、こうくぎを刺すしか対抗手段はなかった。

凛子は日ごろから「私の所にかかってくる電話には出ないで」と、母にやかましく言っていた。だが、凛子が入浴中だったりするとお構いなしに受話器を取る。大した用事でなければ事なきを得るのだが、これが「割烹陣屋」の予約電話だったりすると、母は身勝手さを前面にさらけ出してトラブルの種をまく。電話口で母は平然と、「『陣屋』より安くてサービスもいい『おふくろの味 吟』に来てくださいよ」。強引に「陣屋」のキャンセルを迫る。しつこく自分の店へと臆面もなく誘客する母。予約電話の相手からは「お宅のお母さんって、どういう人なの?」と凛子は度々尋ねられた。

母吟の日常的な仕打ちに耐えられなくなると、凛子は鬱積した感情を発散させる場を友人に求める。

母の行状を縷々話す凛子がそのたびに思い知るのは、自分の言っていることのほとんどが信じてもらえない、ということなのだ。理由は分かっている。世間一般の親子像からあまりにかけ離れた母娘の関係は、理解をはるかに超えていたからだ。

誰にも信じてもらえない上、逆に凛子が「作り話」を吹聴しているかのように誤解されてしまう現実を前に、凛子は口惜しい思いに沈み込むだけだった。

無論、母にも良い点はあるのだが、いかんせん悪い点が突出している。このため周囲から「慎んでもらいたい」と、声が上がるのも不思議ではなかった。

こうした苦情をもはや無視することはできそうになく、凛子はじめ子ども三人が母に忠告をすることになった。

この日、長野市上松の高台にある凛子の家に母を筆頭に家族四人全員が顔を揃えた。凛子たちは早速、母の言動に周りが振り回されて迷惑していて、苦情が来ていることなどを話し始めた。

しばらく話を聞いていた母は、突如「お前たち三人揃って母親の私に意見するのか！」と、すごい形相でいきなり立った母は、その場にバッタリと倒れた。が、その倒れ方は、誰の目にも芝居だとはっきり分かった。

それでも床に伏した母は手足を震わせて「う～ん、うぅ～」と呻き声を上げる。

二人は？　と、凛子は妹と弟に目を向けた。

妹の由美子はソファーに背中をもたせ掛け、うんざりした顔つきで母を見下ろしている。これに対して、母への〝免疫力〟が弱い弟の雄一は、思わぬ展開に「あれっ、どうなっちゃったの？」といった表情で、目をまん丸くしてキョトンとしていた。

子どもたちの口を塞ぐ魂胆が見えみえの演技だとはいえ、いつまでも放っておくこともできない凛子は、床に突っ伏したまま唸る母を抱き起こし、弟に水を持ってくるよう頼んだ。

凛子から水を飲まされ、これ以上の演技を続けるわけにはいかなくなった母は起き上がると、今度は「家に帰る！」と叫んで玄関を飛び出した。外はあいにく雨が降っていたが、母は再び家の中に戻ることはなかった。

その後も、母吟の言動に改まった様子は皆目見られなかった。三人の〝子ども連合〟をもってしても母を改心させることはできなかった。

「母は、何と強い人だろう」。凛子はあらためて思い知った。

このころからだった。凛子が母と面と向かったり、母から電話がかかってきたりすると、手が小刻みに震え出すようになったのは。診察した医者からは、極度にストレスを感じたときに現れる症状だと言われた。

中園吟――。ストレスの元凶は凛子の実の母親、その人だった。


「お金が必要になったから、凛子姉ちゃんに買い取ってもらいたいんだけど……」と、訪ねて来た弟の雄一が言う物件は、「コーポウエストハーバー」の二〇一号室のことだった。

凛子はちょっと驚いた。確かにその部屋の名義は雄一になっている。だが金融機関に支払わなければならない八〇〇百万円の残金を、母の吟に言われて凛子が肩代わりして返済していた。

「その部屋にはまだ借金があるのよ。残金はだいぶ減ってきてはいるけれど、まだ私が返済中なのよ。それにあなたが閉めたカメラ店の借金も返している途中なの」

人から恩着せがましく言われることが大嫌いな凛子は、自分からも気を付けて言わないようにしている。もちろん弟に対しても何も言っていなかったから、この辺りの事情を知らなかったとしても不思議はなかった。

またよしんば承知していたとしても、弟自身が返済しているわけでもないから、何年もかけて凛子が借金を返し続けていることなど、忘れてしまっていたかもしれない。

「今、あなたに用立てるなんて、私にとってはとんでもないことなのよ」。今の状況を噛んで含めるようして凛子は断ったが、こう付け足すのも忘れなかった。

「あなたの長男、良雅君が中学に上がるころには借金も終わるから、そうしたら買い取ってあげるからね。約束するわ」


「割烹陣屋」の跡を継いだときから凛子は、店をはじめ「コーポウエストハーバー」の一部の部屋、長野市郊外の飯綱高原にある別荘を相続することが、母吟との間で暗黙の了解事項となっていた。

これ以外に、妹がすでに居住している母名義の物件は妹が相続することになっていて、母から実印を預かっている凛子が贈与の手続きを進めている。

こうした一連の相続は、家族全員による暗黙の了解事項だと凛子は承知していた。しかし最近になって母は、何かにつけて相続の件をちらつかせ「凛子には相続させないかもしれない」などと、凛子をけん制するような態度を取り始めた。

これには、このところ毎日のように母の家に寄り付いている胡散臭い人たちの存在が背景にある、と凛子は睨んでいた。

日頃から凛子は「こうした付き合いは止めた方がいい」と母に忠告している。しかしながら母は聞く耳を持たないばかりか、凛子が注意するたびに怒髪天を衝く勢いで「お前には相続させない！」と決まって喚き散らす。

あの母にかかれば相続の約束をひっくり返すことなど朝飯前だ。疑心を抱いた凛子は、ほとぼりが冷める頃合いを見計らって本心を確かめてみた。

母は何のわだかまりもなく「今までどおり、気持ちは変わっていないわよ」と、さらっと言った。凛子は、この言葉に取りあえず胸をなでおろした。

ところが母は、弟雄一に「おふくろの味 吟」として使っている「コーポウエストハーバー」地下の場所を相続させると空手形を切り、さらに「そこから上がる家賃を自分で使いなさい」とまで話しているようだった。

地下にある店の場所は「有限会社陣屋」が所有しており、母個人の持ち物ではないのだが、おいしいことを言っているのは想像がつく。こうした母の話が出まかせであっても、何も知らない雄一がその気になったとしたら――。母が元気なうちに家族できちんと「相続」を確認しておく必要がある、と凛子は真剣に思った。

後日、凛子の呼び掛けで家族全員が母の部屋に集合した。

凛子は長女として、暗黙のうちに既成事実となっている具体的な相続方法について説明した上で、家族全員が揃ったこの場であらためて確認したい考えを伝えた。

諸々含めて一億円を超える莫大な借金を背負って「割烹陣屋」を引き継いだ以上、妹の由美子が居住する家を除く物件はいずれも凛子が相続する。

また弟の雄一については、凛子が雄一家族の生活費や借金を肩代わりしていることで、実質的な相続分はすでに相殺されている。このため新たな相続物件はなく、「財産放棄」の書類は、凛子が預かっているとした。

さらに凛子は、母と弟の方に向き直り、今回こうした話し合いを持つきっかけとなった出来事に触れ、念を押した。

「今後、お母ちゃんが個別に何々を『相続させる』と言っても、今日ここで話し合って決めたこと以外は一切認めないと、皆で確認しておきたいの」

その理由はね、と凜子は続ける。

「お母ちゃんが元気な今のうちに相続をきちんと決めておかないと、実際にお母ちゃんが亡くなった後に、きょうだいの間で揉め事が起きてしまうかもしれないのよ。『相続をめぐって肉親同士が骨肉の争い』なんていうことが、世間でもよくあるでしょう。そういうことにならないようにしたいのよ」

母が元気なのに不謹慎――との雰囲気も感じながら、凜子が説明したとおりの相続を皆が一応了承した。


相続問題は、母の老後とも密接に関わり合っていた。

今は「おふくろの味 吟」を経営するなど元気な母だが、将来のこととなると体の具合が悪くなったり、動けなくなったりして、いずれ店を閉めなければならなくなる。

そのとき、私たち子どもはどうする――。

「私は嫁いだ身で夫も亡くし、自分の将来のために必死で働いているの。だからお母ちゃんの面倒までは見られないわ」。妹の由美子が、しごく当然の話として言う。

弟の雄一は現在、妻幸子の実家で暮らしている。幸子自身に持病があるほか実家の事情を抱えて「お母ちゃんの老後は、凛子姉ちゃんにお願いしたい」と振ってきた。

弟に言われるまでもなく凛子は頷いた。

「私はね、跡を取ることを決めた時から親の面倒を見るのは当然だと思っていたし、前からお母ちゃんには『一緒に住もう』と誘っていたのよ。でもね、お母ちゃんは『まだまだ一人で自由に暮らしたい』って、今のところは言っているけど『いよいよ』のときは、私が面倒を見るから心配しないで。ずっと、そのつもりでいるから……」

普通に子が母親を労わるように穏やかに応じた。が、そんな凛子のどこが気に障ったのか、当の吟は見る見る鬼の形相と化して怒鳴った。

「お前になんか見てもらうもんか！　お前になんて見てもらえば殺されるわ！」

殺される⁉　驚愕の一言だった。

単に逆鱗に触れただけでは到底出てこない言葉を浴びせられた凛子は、虚を衝かれたように反撃とも防御ともつかず反射的に立ち上がり、感情のままに語気を強めて──

「私に『殺される』って、どういうことなのよ！　私に殺されても仕方ないくらい私をいじめてきたということなの⁉」と一気に言い放った。

その瞬間、凛子は無意識に口を衝いて出た自分の言葉に「ハッ」とした。頭の片隅にもなかった、ある事実に感づいたのだ。

「あぁ、お母ちゃんって……　そういうことだったの！」

度重なる吟のいじめは明らかな確信犯だった。しかも、いずれは〝復讐〟されるだろうことを予測しながらも、私へのいじめを繰り返していたというのか。

心の深淵にずっと潜ませていた吟の暗闇に空しく気付いた凛子は、想像以上に激しく胸を抉られた。それでも吟の勢いを削ぐように諌めた。

「今、聞いたでしょ。妹も弟も無理だと言っているじゃない。長女の私が見なければ、一体どうするつもりなのよ！」

これで萎えるような吟ではない。間髪入れず、さらに思いも寄らない言葉を突きつけた。

「長女⁉　お前なんて私の娘なんかじゃないわ！」

「……」

あまりの言い草に一瞬、言葉を失いかけた凛子だったが何とか気を取り直して、「私の手を見て！　この足だって、良く見てよ！」と言いつつ、手と膝から下の足を吟の前に投げ出した。

「この手も足の形も、お母ちゃんにそっくりでしょう？　だから、私はお母ちゃんの娘に間違いないのよ」

こうした凛子の抵抗などお構いなしに吟は、「私の老後は、文さんに見てもらうわ！」と、突き放すように言う。

「あのね、『文さんに見てもらう』なんて言うけど、文さんは他人で従業員なのよ。文さんに見てもらったら、お金を払わなければならないでしょう」

虚勢を張って理不尽なことでも無理やり押し通してきた母の吟は、ここでもそれを貫いた。

「そのために、お前から金を取ってるんだよ！」


ある日、昔からの付き合いで世話にもなっている栗原建設の社長が、改まった様子で「話がある」と言って凛子を訪ねて来た。

「実は、お母さんのことだけど……」と、恐縮しながら話し始めた。

数か月前、柳沢という男と一緒に社長を訪ねた母の吟が、「ここにいる柳沢さんが振り出した三〇〇万円の手形を三か月、割ってほしい」と言った。そして柳沢という人はとても信用できるから「私が裏書します」と言い、母吟は社長の目の前で手形に住所、氏名を署名し押印した。

母とは古い知り合いだ。それけに社長は信用していた。その場で了解し、三〇〇万円を手渡した。この際に社長は「利息代わり」だという吟から、一〇万円を受け取ったそうだ。

ところが約束の三か月が過ぎても柳沢からは何の音沙汰もない。母に何度か請求するも未だ返済されないという。そこで困り果てた社長は、「凛子さん、何とかしてもらえませんか」と言ってきたというわけだ。

話を聞き終えた凛子は、「母は一体、どうなってしまったのか」と思うと同時に、詐欺まがいの行為に驚くしかなかった。ある意味、「あれほど賢い母がなぜ、こんなことをしたのだろうか」。疑問に疑問が湧いてくる。

柳沢は、以前から「おふくろの味 吟」にたむろしている連中の一人だということは、凛子にも分かっていた。

「あんな連中とは付き合わないで」と諫めるたびに、大喧嘩になっていた。しかし今回の一件は凛子としても見過ごすことができなかった。

知人の警察官に相談しがてら柳沢のことを内々に調べてもらった。そして分かったことは、何と前科一七犯もの常習詐欺師だった。今回の手形の件も「詐欺罪」に該当し、吟も「共犯」になる可能性があるという。

慌てた凛子はすぐに母の元に行き、柳沢の正体と栗原社長の一件を伝えた。

「私があれほど普段から『付き合ってはいけない』って言ったでしょ。柳沢は詐欺の常習犯よ。前科一七犯で刑務所に入ったり出たりを繰り返しているそうよ。先日、栗原社長が来て『三〇〇万円の手形を何とかしてほしい』って。どうして裏書なんかしちゃったのよ」

凛子は〝犯罪意識〟のない母に事の重大性を自覚させたかった。「ねえ、お母ちゃん！お母ちゃんがやっていることは犯罪なんだよ。栗原社長が被害届を出せば、お母ちゃんは詐欺の共犯者として警察に捕まるのよ。分かっているの？」。

「困ったわぁ～」。何を言われても素知らぬ顔の母がいつになく狼狽した。「柳沢が私に三〇〇万円くれると言うので、つい裏書をしてしまったの。期日には三〇〇万円を必ず栗原社長に返済するって、柳沢が約束したのよ。詐欺だなんて、私にはそんな気持ちはなかったんだよ。凛子～　助けて～　お願い」。

凛子に泣きすがる母のこんな姿を見るのは初めてだったが、いずれにしても母親を「犯罪者」にはできない。凛子は三〇〇万円を用立てて栗原社長に返済した。

こうして、この〝詐欺〟は「事件」一歩手前で事なきを得た。

数日後、母から電話があった。電話口の凛子に聞こえてきたのはいかにも殊勝な声だった。

「凛子～、今回は本当にありがとね。私も今度ばかりは反省してね。父ちゃん、母ちゃんのお墓参りに行ってきたよ。だけど、お墓の前で転んで膝を怪我してしまったんだよ」

凛子の胸にジワ～っと、何か温かいものが込み上げた。

「そう、お墓参りしてきたの？　偉かったね。でも転んじゃったってことは、今回の件でバチが当たっちゃったんじゃないの⁉　膝を擦りむいたくらいで良かったね」

こんなやり取りをして電話を切った。

ところが親戚の話として後々分かったことだが、これがとんでもない話になって伝わっていた。話の前後を省略して、凛子が母に向かって「バチ当たりが！」と、一方的に罵ったことになっていた。

あれほど凛子に泣きすがって助けてもらっておいて、この仕打ちなのだ。

母の心の醜さはとうに分かっているはずなのに、度合いこそ違うがその都度愕然とする。そして問い詰めるが、認めようともせずにシラを切りとおす母に腹の虫が治まらない凛子は、捨て台詞を残すように言った。

「そんな嘘の作り話ばかりで自分の娘を貶めるならば、詐欺話を親戚中に喋っちゃうわよ。そういう醜い心ばかり養っていると、自分の顔も年を取るほどに醜くなっていくわよ。もっとかわいいおばあちゃんになるように心の持ち様を変えてちょうだい」

飯綱高原にある別荘を母の吟が知人に売るという話が持ち上がった。

だが、敷地を含めこの別荘にはちょっと厄介な問題があった。母と凛子が二分の一ずつ権利を所有しているのだが、所有区分の線引きが具体的になされていない。しかも別荘の建物は、敷地のほぼ真ん中に建てられている。ということは、敷地のどこを普通に仕切って二分割しても、建物が半分半分になってしまうのだ。

売却は母が考えているだけで、凛子にその意思はない。となれば、まさに建物を真っ二つに〝切る〟ことになるわけで、今回のような事態はもともと想定されていなかった。

売るにも売れない、買うに買えない――。にっちもさっちもいかない状況にも見えたが、打開策がまったくないというわけではなかった。建物を残すため、別荘ぎりぎりに線引きをする方法だ。

この場合、残された敷地の形状はひどく使い勝手の悪いものとなる。したがって母か凛子、どちらか一方が譲歩して〝犠牲〟を受け入れる必要があった。

常識的に考えれば、今回どうしても別荘を売ってお金にしたい、と強く望んだのが母であり、その母に良い条件で二分割した別荘地を提供するのが自然といえた。したがって譲歩するのは凛子だった。

こうして折り合った母と凛子は二人で法務局に出向き、それぞれが所有する線引き区割りなど売却に向けた手続を始めた。

だが、ここまで日時がかかり過ぎたようだった。肝心の買い手が、他にいい物件を見つけたとかで断ってきた。結局、別荘の売却話は頭を悩ましただけで立ち消えとなったのだ。

今に始またことではないが母の吟は、このところやたらに「金がない、金がない」と口走るようになった。

一〇年ほども前のことになるが、母がマンションの部屋替えをする際に引っ越しを手伝っていた凛子は、いかにも無造作に置いてあった三〇〇万円の現金を見つけて注意したことがあった。それなのに、あのころも確か「お金がなくて、従業員から借りているのよ」なんて言っていた。

母がお金に不自由しているはずはない、と凛子は踏んでいる。だから「金がない」に加えて「死にたい」が口癖の〝嘆きの言葉〟は耳障りだったが、凛子はいつものこととして取り合わなかった。

年がら年中、凛子からせびりまくっておきながら常にキュウキュウとして、お金に振り回されている母の姿は、「金がなければ何もできない」といった、今日の風潮を投影しているようにも見えた。本来、人間が使うためのお金に今や人間が支配され使われている――。変な世の中になってしまったことを、凛子は母から感じ取っている。

「これから年を取るばかりの私には、お金がないと不安でたまらないの。だからこの際、飯綱の別荘の土地を一〇〇〇万円でお前に買い取ってもらいたいのよ」

母に呼び出された凛子は、またぞろ売却話を持ち掛けられた。

「『おふくろの味吟』の店もやっているし、お金がないはずはないでしょう」

すかさず言い返した凛子だったが、一方で「本当に年を取って現金を持っていなければ、確かに不安だろうなぁ」と、母を思いやる気持ちもあった。

「有限会社陣屋」を引き継ぐ際に騙し取られた一五〇〇万円にしても、ビルの名義変更を名目に「母が将来不安のない生活を送れるように」と配慮した凛子の恩情だったが、踏みにじられている。

つい最近も手形詐欺まがいのことをして、凛子がその尻ぬぐいに三〇〇万円を用立てたばかりだ。もちろん「金、金」とせびり取られるのも日常茶飯事のことだ。

もうこりごりなはずなのに、「かわいそうだな」という母への憐憫の情が、凛子を寛容へと甘く導く。「今ここでまとまったお金を渡しておけば、これから先『金がない』などと言われないで済みそうだ」。

母が権利を有する別荘の半分を、言い値の一〇〇〇万円で買い取ることを承諾した。固定資産評価額より三倍も高いが、老後を安心して暮らしてもらうためなら、それもいいではないかと自分自身を諭した。

しかし、こうした凛子の母への思慕を知ってか知らずか、母吟は常套手段を繰り出して、「一〇〇〇万円では嫌だから一五〇〇万円にしてほしい」と言ってきた。

凛子は、さすがに「それはできない」と拒絶した。

権利は半々だが、いずれ凛子が全てを相続することになっている別荘だ。これまでの母の仕打ちを冷静に考えてみれば買い取りを承諾したこと自体、間違いだったかもしれないとの後悔もあった。

しかしいったん決めたものを今更、母のように覆すことはしなかったが、凛子は用心した。現金を渡す前に、相続の件をきちんと公正証書に残すことを母に約束させた。

翌日、凛子と母は近くの公証人役場に足を運んだ。先日、親子四人が話し合って確認した内容の「遺言状」を約束どおりに作成した。そして凛子は、母に一〇〇〇万円を現金で渡し、建物を含め別荘地の名義の書き換えも無事済ませた。

それでも、ほんの些細なことで言い合いになると、母は決まって「『遺言状』なんて新しいものが有効なんだから、いつでも書き換えられるんだからね!」と凛子を脅した。

あれほどケチな母が、お金を払ってまで公正証書を作り替えることはない、とハナから見切る凛子の心には、久し振りの平安が戻っていた。

一人息子の壮太郎は後町小学校高学年のとき児童会長を務めた。運動会などの学校行事では、下級生たちの面倒を見る壮太郎の姿を目にした。凛子はそのたびに心は和み自然と笑みがこぼれ、親の喜びを感じた。

西部中学校に上がった壮太郎は「柔道をやりたい」と言い出して入部、厳しい部活に挑み始めた。

息子と同じように母の凛子にとっても「柔道」は〝未知の世界〟だったが、大会があると他の部員の保護者と一緒に、必ず会場へと応援に駆け付けた。そうこうしているうちに次第に技の種類を覚え、ルールが理解できるようになる。

柔道の面白さを知った凛子は、壮太郎が出場する試合ともなればいち早く会場入りして「特等席」を確保した。そしてひとたび壮太郎が畳の上に登場すれば、凛子の心臓は早鐘を打ち始める。その興奮は今にも心臓が口から飛び出すほどの勢いで、周りも驚くような大声を張り上げて応援した。

こうした初めての体験を味わわせてくれた我が子に、凛子は親として感謝の気持ちでいっぱいだった。

中学で実績を残した壮太郎は、私立高校の柔道部監督から誘いの声が掛かり、その高校に進学した。見る見るうちに体は大きくなり、いかにも柔道をやっています感が体型に現れていく。

男として大きく頼もしく成長していく壮太郎の姿を、凛子は眩しく見守っていた。

第十六章　消える「割烹陣屋」の灯

いわゆる「バブル」が崩壊した日本経済は失速し、その後も長期にわたって景気の低迷が続いていた。

平成七年には流行語になるほど世間に知れ渡った「官官接待」が取り沙汰されて、予算の無駄遣いなどと国民の批判に晒された。このため「官」のみならず「民」を含めて全国的に接待を控える風潮が〝夜の街〟を窮地に追い込んでいた。

一方、平成十年に長野冬季オリンピックを控えた開催都市の長野市を中心とした長野県内は、全国的に衰退する景気を尻目に競技施設をはじめホテルの建設ラッシュ、リニューアルが相次ぐなど〝五輪特需〟に沸いていた。

凛子もそんな恩恵に浴していた。

ホテルのオープニングなどコンパニオンの仕事もひっきりなしに舞い込んだ。オリンピック関連の人たちが国内外を問わず大勢訪れて連日、活況を呈する「割烹陣屋」と「くらぶ凛子」の本業に加えて、それは多忙を極めていた。

あるホテルのリニューアルオープンのパーティーでメインテーブルに着いた凛子は、かつて「くらぶ凛子」を訪れたことのある殿下と図らずも数年ぶりに再会した。

凛子を認めた殿下は早速声を掛けてきた。

「ママ、少し年を取ったね」。挨拶代わりの戯言に、すかさず凛子も「年を取ったのは私だけではありませんわ。殿下もご一緒にお年を召されておりますのよ」と親しみを込めて〝負けじ〟心を発揮する。

旧知の間柄のような二人のやり取りに、同じテーブルの熊島建設の社長は「殿下にそのような言葉を掛けられるのは、あなただけですよ」と口を挟む。

殿下と交わすフランクな会話は凛子ならではといえた。その場に和んだ雰囲気を作り出し、楽しみながらメインテーブルの盛り上げに一役買った凛子は、自身の仕事にあらためて誇りを感じた。

二十世紀最後の冬季オリンピックとなった「長野五輪」は二月七日、世界七二の国と地域から選手、役員合わせて約四六〇〇人が参加して開幕した。

凛子は和服正装で息子の壮太郎と共に開会式に行き、スタンドで聖火の点火を興奮して見守った。またラージヒル団体で日本が金メダルを獲得したスキージャンプをはじめアイスホッケー、フィギュアスケートなどの競技も観戦し、華やかな「世紀の祭典」の醍醐味を肌で感じた。

長野を挙げた「おもてなし五輪」は、二十二日までの期間中に世界各地から延べ一四四万三〇〇〇人近い観客が訪れて長野、白馬、志賀、軽井沢といった競技会場を中心に異質の賑わいを見せた。

昭和六十年、長野県議会が「長野冬季五輪招致」を決議して県民挙げた招致運動が展開された。国内候補地一本化選考を経て、平成三年に国際オリンピック委員会総会で、長野市が正式に開催都市に決定したのだ。

こうして招致運動や開催準備にと実に一三年の歳月を要して実現した「長野冬季五輪」は、凛子に幸せな思いを残したものの、わずか一五日間で幕を閉じた。

翌三月五日からはパラリンピックが一〇日間の日程で開催されて、こちらもオリンピックの勢いそのままに大いに盛り上がった。

が、しかし「世紀の祭典」の余韻に浸る間もなく、閉幕と軌を一にするように膨らむ不良債権に喘ぐ「北海道拓殖銀行」「日本長期信用銀行」「山一証券」など金融機関をはじめとする企業倒産、リストラによる解雇、銀行の貸し渋りなど日本中を覆う不況の波が、長野にも容赦なく押し寄せた。

それこそが毎日、戦場のような忙しさの中で繁盛していた「割烹陣屋」も例外ではなかった。ガクッと落ち込んだ売り上げは、どのように努力を重ねても持ち直せずにいた、
従業員の給料は会社の預金を切り崩して毎月支払うようになる。そのうちに従業員たちが出勤しても仕事はなく、交代で休みを取らせる状態に陥った。

こんな状況下でも「有限会社陣屋」には、十分とはいえないまでも蓄えがあった。「陣屋」の跡取りとして経営を引き継いだことによって、凛子が諸々と抱え込んだ一億円を超える膨大な借金は完済し、僅かながらも貯金ができるようになっていたのだ。

しかしながら悪化する景気の下で明るみに出た「官官接待」に端を発した〃夜の街不況〃は、長野五輪が終わって間もなく明るみに出たスキャンダラスな「ノーパンしゃぶしゃぶ」を舞台にした大蔵省接待汚職事件で、とどめを刺される格好となった。「官官」はもとより「官民」「民民」の接待も多くが姿を消した。

接待を忌避する風潮はいつまで続くのだろうか？

騒ぎが収まれば、再び以前の賑わいに戻るのだろうか？

いつまで店が持ちこたえられるのだろうか？


凛子は、結婚して移住したパリで目の当たりにした、華やかなイメージとは正反対のフランス人の「質素」な生活ぶりを思い起こした。

それはフランスだけではなかった。貧困国を含めさまざまな国を旅行して視野を広げた凛子は、比較対照として当時の日本が謳歌していた大量消費が美徳の、モノを使い捨てる「豊かさ」の異様さに驚いた。と、同時に〃成金的〃な薄っぺらな「豊かさ」に懐疑と軽蔑と一抹の不安を抱いたのだ。

そしてあのときの不安の正体が、今の日本を覆う現実だということに気付く。ボーダーレス化する世界経済の中で、日本だけがいつまでも好景気に浮かれていられる訳がない、という道理も。

かつて経験したような「バブル景気」の再来は、もうあり得ない――。予測が確信に変わっていく中で、凛子は「割烹陣屋」の将来のことで頭がいっぱいになっていた。


長野五輪の閉幕直後から凛子は、ある「選択肢」について考え始めていた。

毎月このまま赤字を出しながら「割烹陣屋」の営業を続けるならば、蓄えを使い果たすのは時間の問題だった。銀行から借り入れる道もあるが、借金に追われるばかりで「倒産」を早めることは自明だ。

それならば「スッカラカンになる前に」と、凛子は一つの結論を導き出した。

預貯金があって体力もある今のうちに「割烹陣屋」を閉めることが、現状で考えられる最良の策ではないだろうか――。

胸に秘めた考えがどのような結果をもたらすのか、凛子は懸命に想像力を働かせた。その波紋の大きさをひとり反芻しながら思案を巡らす。

母の吟が「割烹陣屋」を創業してちょうど五〇年になる。女手一つで半世紀に及ぶ歴史を紡いできた、まさにこうした「節目の年」なのだ、今年は……。

いくら「官官接待」のあおりで逆風の真っただ中にあるとはいえ、自分が半生かけて築いた「割烹陣屋」の灯を消すことになるとは、さすがの母であってもこれっぽっちも考えてはいないだろう。

不況下であっても「ゴールデンウイーク」の期間中、信州の行楽地はさわやかな自然の息吹を求める観光客でにぎわった。

そんな五月のある日、凛子は意を決して母吟の元に赴いた。

「お母ちゃんが、戦後間もなく乳飲み子の私を背負って女手一つで商売を始め、『割烹陣屋』をここまで大きくした。そんなお母ちゃんを私はすごく尊敬しているの」と凛子は、素直な気持ちで吟をねぎらった上で本心を告げた。

「今、冷え込んでいる景気は元に戻ることは確実にない、と私は思っているの。だから無理して『陣屋』の赤字経営を続ければ、預貯金が底をつくのは目に見えているでしょう。存続させるためには、銀行から借り入れするしか方法はないのだけれど、景気が回復しなくちゃ返済はできないわけで、そうなれば借金の形に『陣屋』の土地建物はみんな取られてしまうかもしれないの」

「だから……」と言った。

「お母ちゃんの築き上げた『陣屋』だけど、店を閉めたい」

人一倍、業の深い母のこと、猛反対して罵倒するだろう――。何度も何度も説得に足を運び、そのたびに罵詈雑言の嵐に身を晒すことになるだろうと、凜子は覚悟した。

ところが案に相違して母は、いつものように途中で口を挟むこともなく、凜子の話にじっと耳を傾け「承知している」とでも言うように、いとも簡単に「賛成」した。

難航必至と身構えていた凜子は拍子抜けした。人が変わったような吟の物分かりの良さに呆気に取られたが、いざというときの判断力には舌を巻いた。

「お母ちゃんって、やっぱり一流の商売人で苦労人。だからこそ、今日の状況をちゃんと見極められるんだ」

「割烹陣屋」の閉店に向けた動きは、一気に加速した。

税理士との打ち合わせと並行して、長く店を支えてくれた従業員たちへの説明と新たな働き口の斡旋や顧客への閉店挨拶など、凜子にはやらなければならない仕事が山ほどあった。

その間にも「店をやめるべきではない」とか「割烹が駄目なら居酒屋として続けたらどうか」等々、思い止まるよう求める声が多く寄せられる。

閉店の判断は本当に正しかったのだろうか？　凜子の気持ちは揺れ動くのだが、その都度自分で自分の背中を押すように何度も言い聞かせた。

「これは私が必死で考えた上で下した判断。最終的に責任を取るのは私。誰でもない私が決断すべきことなのよ！」


「割烹陣屋」が閉店する──。

不況を背景に閉店したという話は、オリンピックが終わって間もない長野市では聞いたことがなかった。それだけに「割烹陣屋」というブランドも相まって、情報はセンセーショナルに瞬く間に広がった。

ある日、凛子はこんな連絡をもらった。

「これからモンゴルのウランバートルで日本食レストランをオープンさせる人がいるのだけれど、『割烹陣屋』で使っていた和食器類を寄付していただけないだろうか」

連絡をくれた人は上島康といって、世界の各地で凧揚げをして国際交流を図っている会の代表で、その交際範囲は国境をまたいでいる。今回の話もそのネットワークによるもののようだった。

「今や不用品となった和食器類がこうして役に立つのなら、こんなに嬉しいことはありません」と凛子は、上島代表の申し出を快諾した。

数日後、「割烹陣屋」の大広間に関係者が集まって食器類の荷造りが行われた。作業を手伝う凛子は、かつてこれら食器類の一つひとつを吟味し買い揃えた当時に思いを馳せながら、丁寧に箱詰めをした。

荷造りされた食器類は二トントラックいっぱいに積み込まれた。

この様子は地元テレビ局のニュースで取り上げられたことから、多くの人たちに「善いことをしたね」と言われた。

「割烹陣屋」の閉店は、平成十年七月三十一日と決まった。

営業最終日まで残ってもらわなければならない板前をはじめ何人かを除き、長年勤め上げた従業員が一人また一人と新たな職場へと去って行く。凛子は心から頭を下げ、礼を尽くして見送った。

こうした中、従業員の一人で料理の持ち運びや後片付けを専門にしていた当時七十歳の五十嵐信子がいた。

信子は脳に障害を抱えている。数年前は知人宅に同居していたのだが、その知人が入院したためアパートに移り一人で暮らしていた。そのころ凛子は、ある従業員から信子の暮らしぶりについて話を聞いたことがあった。

「信ちゃんは身寄りがなく、どこに行く当てもありません。自分では火も扱えないのでご飯も作れず、冬になればストーブに火が付けられずに布団にくるまっているんです」

親身になって面倒を見てくれる人もいなかったようで、障害者認定など社会福祉面での支援は何も受けていなかった。

信子を不憫(ふびん)に思う以上に、一人住まいのアパートで何か事故が起きてからでは遅いと考えた凛子は、四年前に客室の一間を潰し「住み込み」として信子を受け入れていた。

閉店に伴って凛子は、他の従業員と同様に信子の働き先を探したが見つからず、今日に至っている。

天涯孤独の信子をこのまま突き放すわけにもいかない凛子は、閉店後も引き続き住まいを提供することにして、これまで更衣室として使っていた半地階の八畳間を信子の新たな住居とした。

さらに食事も凛子が用意することにしたのだ。毎日、自分と息子壮太郎の食事を作っているので、信子の分が一人増えたところで一向に構わないと思った。食事の際は、三階の凛子の住まいまで上がってくるように伝えた。一緒に食卓を囲むために……と。


「割烹陣屋」――半世紀にわたった営業を締めくくる最終日。

長野冬季五輪後の不景気で有名料理店が五〇年の歴史に幕を閉じる、その最後の一日を取材したいとする地元テレビ局のクルーが、朝から凛子に張り付いていた。

この日は、大広間で常日頃から贔屓にしてくれていた会社の宴会が入っている。凛子はこれまでと変わらぬスケジュールで、割烹女将としての最後の務め—日々の伝票処理から始まって食材の仕入れ、板前との料理の打ち合わせなどを朝から淡々とこなしていった。

迎えた宴会。母の吟から引き継いだ「割烹陣屋」を閉じる女将としての感慨を胸に、凛子は長い愛顧に感謝の言葉を紡いだ。

そして最後の客を見届け、「割烹陣屋」の看板を照らし続けた灯りが落とされた。

この様子は翌日、夕方のニュース番組で一五分間のドキュメントとして放送されたが、閉店当日、玄関に出て看板を照らす灯りが消えた瞬間に立ち会った凛子は、テレビカメラの存在も忘れて北西の夜空に瞬いていた星を仰ぎ見ていた。


凛子は以前から「割烹陣屋」の跡利用について、ある構想を温めていた。

それは「割烹」として使っていたビルの一、二階を駐車場とマンションにリニューアルする計画だ。すでに設計施工の打ち合わせや銀行との借り入れ交渉など話は具体的に進んでいた。

翌、平成十一年一月にはリニューアル工事が完成した。「レオメゾン」と名付けたマンションと一階に整備した駐車場は、立地に恵まれていたこともあり、募集とほぼ同時に全てで借り手が決まった。

こうして不動産賃貸業は順調な滑り出しを見せ、「くらぶ凛子」だけの経営に専念する凛子は、これまでと比べて一日という時間をずっと楽に過ごせるようになり、慌ただしかった夕方の時間帯にも余裕が生まれた。だが皮肉なことに、今度は高校生の息子壮太郎が逆に柔道の部活で帰りが遅く、相変わらず「すれ違い」は改善されることはなかった。

壮太郎が生まれてこの方、一日を締めくくる夜の時間帯を親子で過ごせなかったことに、凛子は母親としての罪悪感をずっと持ち続けている。今の仕事を選んだ時点で、凛子の夜は「プライベート」の寛ぎの時間を失い、「稼ぎ時」という商売絡みの時間だけが残った。

だからこそ凛子は、プライベートと仕事の「オン」と「オフ」を極端なほど明確に分けた。自ら天職とする仕事への情熱は強い。仕事を苦労と感じたことは一度もなく、また人一倍働いている自負もある。

一方で「オフ」は、一本の電話にも出ない徹底ぶりで仕事と一線を画す。壮太郎と触れ合い穏やかに親子で過ごす「家族の時間」こそが、凛子の心を満たしたからだ。

オン、オフの切り替えもなくプライベートが仕事に従属し、何事も商売に結び付ける母吟の真似は、逆立ちしても凛子にはできない芸当だった。また、したくもなかった。

その母の残した膨大な借金に追われ金儲けに必死だった凛子は、今ここにきてやっと「自分にとって何が一番大事」か、それに気付いた。

掛け替えのない「家族」という宝――。

凛子は相変わらず登山を続けている。高校生の壮太郎と一緒に登る機会は自然になくなっていたが、新たに井口美智子という山仲間ができた。

凛子にやたら歪んだ対抗心を燃やし、裏切り続けていた今朝美のクラブ「サファイア佐藤」が、暴力団がらみの事件で手配中の犯人をかくまったとして警察の捜索を受けた。

「サファイア佐藤」は「くらぶ凛子」とともに「長野で一番」と並び称されていて、客層もほぼ重なっている。当然ライバル関係にあるクラブ同士だが、凛子にとってはこれまで何度も煮え湯を飲まされているママの今朝美の存在と合わせて「目の上のたんこぶ」だった。

もともと反社会勢力と密接なつながりがあった「サファイア佐藤」だが、凛子の口から言うこともできず、黙っていなければならないことが正直歯がゆかった。

だが今回、警察の〝手入れ〟によって「黒い関係」が白日の下に晒された。当然のように「サファイア佐藤」から客足は遠退き、凛子はようやく留飲を下げた。

今朝美は店の家賃を一年半以上も滞納していたほか、出入り業者への支払いでさえ少なくとも半年は滞っていたそうで、いつの日か夜逃げ同然に長野から姿を消した。

以前、隆盛を極め「くらぶ凛子」を凌ぐ勢いだった「サファイア佐藤」の今朝美は、華やかに成功を収めていた。口八丁手八丁で調子がよくて世渡り上手、不誠実な自分をごまかしながら格好をつける今朝美と比べてしまった凛子は、当時深刻に悩んだ。「今朝美のようには生きられない、ただ真正直な私は、この業界には向いていないのだろうか」。しばらくして、今朝美は北海道に逃げたとの噂が広がった。凛子は嘘で固めた彼女の行く末を見た気がした。

真っ直ぐに生きてきた私は、間違っていなかったのだ。


夏を迎え高校三年生の息子壮太郎は将来を選択する時節を迎えていた。

漠然と「既定路線」のように、系列の大学に進学するものとばかり思い込んでいた凛子は、壮太郎から伝えられた進路に意表を突かれた。

「鍼灸の大学に進みたい」

それはあまりに唐突で驚くしかなかったが、壮太郎には確かな動機と将来を見据えた選択理由があった。

「お母さん、僕が柔道でケガをしたことがあったでしょう。そのときに治療で通っていた山崎という鍼灸の先生が凄くてね。それに感動して『自分もこうした技術を身に付けたいなあ』と思ったんだ」。壮太郎の言葉には誠実さが感じられた。

「僕が系列の大学で普通に潰しの利く学部を卒業したとしても、今の時代はそんなにすんなり就職できるとは限らないのが現実でしょ。でも『鍼灸』の大学で技術を身に付ければ、就職は一〇〇パーセント大丈夫なんだよ」

聞き終えた凛子は言い知れぬ感動を覚えた。いつの間にか、ここまではっきりと自分の将来を語れるまでに成長した壮太郎が、とても頼もしかった。

親として子が自ら心に決めた選択に異論があろうはずはなかった。

調べてみると当時、鍼灸を専門とする大学は全国でも京都に一校あるだけだった。進学するに当たり凛子と壮太郎は「オープンキャンパス」に参加するため、キャンピングカーで京都に向かった。

京都とはいえ、大学の所在地は南丹市といって丹波地方の南部にある。京都市の中心部からは車で優に一時間はかかるが、山と山に挟まれた小さな町には不釣り合いなほど立派な施設の大学だった。

しかし下宿することになる大学の周辺は、スーパーが一軒しかないような寂しい所だった。

ここで四年間も過ごすのか……。凛子は心配になったが、当の壮太郎は「勉強しに来るのだから何もなくても構わないよ。電車に乗れば京都まで一時間ぐらいだから大丈夫だよ」と〝田舎暮らし〟を、まったく意に介していなかった。

壮太郎が鍼灸の道に進むと決めたときから、凜子には考えていたことがある。「鍼灸師の国家資格を取るのなら、併せて柔道整復師の資格も取った方がいいのではないか」。理由は、鍼灸には保険が適用されないが、柔道整復師の整骨院は保険が利くので、将来開業した場合に両方の施術ができれば、それだけ有利ということだ。

だが、難点があった。大学の説明によると、四年学んで鍼灸師の国家資格を得た後、さらに柔道整復師の勉強に三年も要するというのだ。

「七年か……。ちょっと長いかな」。凜子は迷っていた。

そんな折、一通のハガキが凜子の元に届いた。差出人は森本という静岡県の県会議員だった。何年か前のことだが長野、静岡両県の県会議員による親善野球大会が長野市で開かれた。その際の親睦会が「割烹陣屋」で催されたこともあって、凜子は応援に駆け付けるなど静岡の県会議員たちともすっかり親しくなった。

こうした縁で凜子は、「割烹陣屋」と「くらぶ凜子」の合同慰安旅行の行き先を静岡県の焼津にしたことがあった。そのとき地元とはいえ三人の静岡県議が、宴会をしていた宿泊先のホテルまでわざわざ顔を出してくれた。このうちの一人が森本県議だった。

届いたハガキは、何と森本県議が来年四月に「浜松医療専門学校」を静岡県浜北市に開校するという案内で、しかも鍼灸の学科もあった。

さらに驚くことに、鍼灸師と柔道整復師の授業を並行して一日三時間ずつ午前と午後に別れて受けられるのだ。もちろん授業料は別々に支払うことになるが、三年間でそれぞれの国家試験の受験資格が得られるという。

大学と専門学校の違いが頭をよぎったが、凛子の関心は専門学校に俄然向いた。このタイミングにしてこの案内は、偶然を飛び越して「天の巡り合わせ」ではないかとさえ思えた。早速、壮太郎を伴って専門学校に出向いた。

壮太郎は、新設された「浜松医療専門学校」の一期生に合格した。

キャンピングカーに引っ越し道具を詰め込んで浜北市に着いた二人は、まずアパート探しから始めるも、すぐに気に入った物件が見つかった、
二人で専門学校までの道のりをなぞったり、近所を散策したりした。また一人暮らし用の電化製品や生活必需品を買い揃えた。

アパートの部屋は小さな台所があるワンルーム。凛子は、自分が東京で一人暮らしを始めた遠い昔と記憶を重ね合わせた。明るい春の日が差し込む中、息子のために部屋を整える凛子は、心が躍るように楽しかった。

この年─平成十二年十月には長野県知事選挙があった。

五期二〇年務めた現職が引退し、副知事と民間人で作家の新人二人による事実上の一騎打ちとなり、いつになく関心が高かった。結果、長き「官僚県政」に飽きていた県民は、一一万票を超える大差で民間人による舵取りを選択した。

凛子は全国的にも注目を集めた新知事の着任の様子をテレビで見ていた。画面は県庁内の各部局を挨拶がてら〝視察〟する新知事を映し出している。

その新知事の姿に凛子は違和感を持った。訪れた先で棚の上の埃を指先でなぞる仕草、そのとき職員に向ける目線など、「嫌な人が知事になったものだ」と長嘆息したものだった。


母の吟は、折からの不景気にも関わらず「おふくろの味 吟」の営業を続けていて、相変わらず休日には凛子の部屋に泊まりに来ている。そして決まったように同じことで言い争いになる。

身寄りのない信子が一緒に食事をしていることが、母には気に入らないのだ。

「どうして信子をお前の所に置いているの！　『陣屋』は閉店したんだから、信子には当然出て行ってもらうというもんでしょ」

「お母ちゃんは何言ってるの？　信ちゃんは働く所もないし、身寄りもないんだよ。それに自分の身の回りこともできない人なんだから、私が面倒を見てあげるしかないでしょう」

「お前が面倒を見る必要なんてないんだから、さっさと追い出しな！」

「追い出せって、身寄りのない人をどこに行かせると言うのよ。私にはそんな真似できないわ。お母ちゃんにはできるというの？　お母ちゃんって本当に冷たい人なんだね」

こんなやり取りを何度も繰り返していたある日のことだ。当の信子が凛子に嬉しそうに話し掛けてきた。

この間、玄関先で掃き掃除をしていたら「大ママ」（母吟のことを皆こう呼んでいる）が通り掛かり、「凛子が突然店をやめてしまって、信ちゃん、あんたも凛子のせいで可哀そうになぁ」と優しく声を掛けてくれたという。

満面笑みの信子は言った。「大ママは私のことまで思ってくれて、親切に声を掛けてもらい嬉しかった。大ママは本当に良い人ね」。

信子は人の話を誇張したり斟酌したりできないから、言われた通りのことをそのまま話しているはずだった。

凛子は「またか！」と、うんざりする思いに勝る悔しさで歯噛みした。

どちらが表で裏か、言いようもない性格の母吟は、凛子の前では他人を辛辣に攻撃するのだが、その当人に対してはまるで逆のことを言って善人ぶる。そして自分が攻撃に使った辛辣な言葉を、さも凛子が言ったかのようにすり替えては話し、〝悪人〟に仕立て上げる。

凛子を貶める母の常套手段のひとつだ。これまでも何度かこの手で親戚、知人に言いふらされた。そのたびに凛子は問い質すが、例によってシラを切られる。

そして今回もまた、一蹴された——。

「私がそんなことを言うはずがないでしょ！　あんな信子の言葉を真に受けるお前は、バカか⁉」

第十七章　青天の霹靂——人生の岐路

このところ、凛子は心にぽっかりと穴が開いたような空虚さを感じていた。一人息子の壮太郎は高校を卒業、鍼灸師を目指して親元を離れ静岡県の「浜松医療専門学校」に進学した。大きな張り合いを失ったように凛子は、これまでとはがらり異なる緩い生活空間に身を置いていた。

営業を続ける「くらぶ凛子」に出勤する夕方になっても、慌てることもなくテレビをのんびり見ている。店に客が入るころになって、ようやく着物に着替えるなど支度を整える。店に顔を出しても客に一通り挨拶を済ませ、しばらくしたら自宅に戻ってしまうのだ。信じられないことに「くらぶ凛子」は、ほとんどが従業員任せの状態になっていた。

高校に入学して間もなく中退し、家出同然に東京へ出て「この道」に入った。結婚によるブランクはあったにしろ約四〇年、自ら「天職」と認める接客業一筋に突っ走ってきた。そんな凛子が、まるで人が変わってしまったかのように「できるだけ仕事を休みたい」と思うようになっていた。後ろめたい重い気持ちを日々引き摺りながら……。

趣味の「休日登山」は変わることなく続けていた。

ある日、凛子に思い掛けない山行の誘いが入った。「この春、日本山岳協会の会長が長野に来る予定で、軽く飯縄山の登山を楽しんでもらおうと思っているのだが、その折にママも同行しませんか」。長野県山岳協会の会長からだった。

日本山岳協会長に会えるというだけで感激なのに一緒に登れるなんて——。

凛子は一も二もなく喜び勇んで「よろしくお願いします」と返事した。

長野市郊外の飯縄山は標高一九一七メートルで「市民の山」として親しまれ、凛子にも馴染みの山だ。年に一度は足慣らしを兼ねて登っている。普段目指している山岳とは違い手ごろな勝手知ったる飯縄山だけに、凛子自身も「楽勝だわ」と気分的にも軽かった。

いよいよ「その日」がやってきた。天候にも恵まれ、一五人ほどのパーティーの一員として凛子もワクワクと心を躍らせて山頂を目指した。

ところが、登り始めて一時間もしないうちに凛子一人が仲間から取り残されたように遅れ始める。

おかしいなあ……？　体に異常の自覚はないのに、速いとも思われない皆の足に付いていけない。「やはり、どこかおかしい⁉」。それでも何とか山頂手前の祠まで辿り着いた。

しかし後もう少しが、どうにも歩けない。

ついに凛子はリタイアを申し出た。

山岳協会の面々と登山できるめったにない機会を台無しにした、無様な自分の姿に失望した。加えて仲間の一人が、自分に付き添い下山せざるを得ないことへの申し訳なさに、凛子は情けなくて泣きたい気持ちに打ちひしがれた。

特に体調不良ということもなかったのに、足が運べなくなるなんて……「私、どうしちゃったんだろう?」。下山中の凛子は、自分自身への問い掛けばかりで頭の中がグルグルと渦巻いていた。

どう考えてみても納得できなかった凛子は翌日、一人で再び飯縄山に登った。同じコースを辿る足の運びは快調そのもので、昨日のことがまるで嘘のようだ。苦しさなどまったく感じることもなく、いつもと変わらぬ時間で難なく頂上に到着した。皆と歩調を合わせながらお互いを気遣う慣れない集団登山が、休憩の取り方など自分のリズムを狂わせ、そして何らかのストレスを生じさせた—。凛子は、こうした自己分析で折り合いをつけるしか思い当たる節はなかった。

とにかく自分の体調を確認するために登ったこの日、疑問符は消えないまでも一応気が済んだ。

夕方、「くらぶ凛子」への出勤は相変わらず腰が重かった。

店を「サボりたい」怠惰な気持ちが日増しに支配を強めている。他に何をするというでもなく、ただただ部屋でゴロゴロしている。気が咎める自分に背を向けて凛子は店をサボっていた。

平成十四年の七月初旬、まだ梅雨前線が列島に停滞していた。その鬱陶しい天候が凛子の体に感染したかのように、背中の右側肩甲骨辺りが重苦しく凝った感じがした。

自宅近くにあるかかりつけの病院で診察を受けたが、医師は「たぶん疲れが溜まったのでしょう。しばらく無理なことは控えて安静にしていれば治るでしょう」と言って、湿布剤を出してくれた。

言われたとおりに凛子は、しっかりと休みを取って静養したのだが、痛みは一向に引かず逆に増していた。

ある日、山仲間の井口美智子が「無理のないように、蓼科の滝巡りでもしませんか」と声を掛けてくれた。凛子も気分転換にはいいかもしれないと思った。

二人はトレッキング感覚で出掛けた。

だが歩き出してすぐに、凛子は背中のリュックが肩に食い込むように辛くなる。両肩で普通に背負うことができない。仕方なく左肩だけに掛けるように担ってみたが、無駄な抵抗だった。

結局、途中で引き返す羽目になったのだが、肩甲骨の痛みに加えて今度は右の鎖骨の下辺りに、微弱な波が打つ違和感を覚えた。その箇所は、最初に異常を感じた背中の右肩甲骨を裏とすれば、ちょうどその反対側の表に当たる、いわゆる体を挟んで裏表の同じ箇所だ。

これは医者の言う単なる疲れや筋肉痛なんかではない――。直感が働いた凛子は何らかの「病気」を疑い始めた。

背中の肩甲骨と前胸部の鎖骨下を水平に結ぶ、体内の中間辺りに「何かができている」。ぼやっとした暗い予感と不安が浮かび上がってきた。

数日後、七月末に支給する従業員の給料を下ろしに行った銀行の帰り、かかりつけ病院の前を通りかかった。時刻は午後の二時半、ちょうど昼休み後の診療が始まる。凛子は吸い込まれるように病院に入った。

初診時の医師はいなかった。凛子は初めて見る若い医師に先日の診断内容を話した上で、その後も症状が改善しないばかりか進行している状態を訴えた。

ところが若い医師は、カルテを見ながら「筋肉疲労ですから心配いりません。鎖骨辺りの痛みは気のせいですよ」と簡単に決めつけて、診察を終わらせようとする。

ちょ、ちょっと待って。違うのよ！　心の中で叫ぶ凛子は「前に言われたように、体を休ませても痛みが長引いていますし、どうしても鎖骨の下辺りの違和感が気になるんです。レントゲンを撮っていただきたい」と頼み込んだ。

だが、若い医師は自身の診断を曲げない。

「筋肉疲労だし、鎖骨のことは気のせいなので、レントゲンは必要ないですよ」
凛子も負けてはいられなかった。
「患者の私本人が、レントゲンを撮ってほしいと言っているんですから、撮ってくださ
い！」と食い下がる。
こうした押し問答が三度も続き、そのたびに凛子の口調はきつくなっていった。そして―
「そんなに撮ってほしいなら撮りますよ。撮ってあげれば気が済むんでしょ！」
捨て鉢な物言いで、若い医師は根負けしたように承知した。
「ええ、撮っていただいて何もなければ、それで私も安心ですしね。撮ってください」
凛子も医師と同じ調子で返した。
レントゲンを撮り終えた凛子は、診察室前の廊下に置かれた長椅子に一人座って待って
いた。たまたまなのか他の患者の姿は見えず、院内は静まり返っている。そんな中、スリッ
パの音がして写真を持ったレントゲン技師が診察室に入って行った。
すぐにも名前を呼ばれるものと身構えていた凛子だが一向にその気配はなく、技師も
入ったきりで診察室から出てこない。不吉な予感に凛子は胸が苦しくなった。と、そのと
き「中園さん、どうぞお入りください」。診察室から声が掛かった。
若い医師は座ったまま、正面のシャウカステンに透かしたレントゲン写真を凝視してい

た。心臓の鼓動を感じながら診察室に入った凛子には一瞥もくれずに、白々しく言った。

「中園さん、レントゲンを撮って良かったですね」

あれほど「レントゲンは必要ない」と頑なだった、同じ医者の言うことかと思いながらも、凛子は冷静に問い掛けた。

「レントゲンを撮って良かったということは、私にとって良くないことが分かったということですね」

「右胸の肺上部に影があります。明日CT検査をしましょう」。医師は相変わらず凛子の方を見ないで話す。

「ついては中園さん、あなたは毎年『人間ドッグ』を受けているようですから、その病院から前回のドッグで撮った肺のレントゲン写真を借りて、明日お持ちください」

「どんな病気が考えられるのでしょうか?」。凛子はドキドキしながら尋ねる。

医師は凛子に答えるというより、首を傾げながら自問自答するようにつぶやいた。

「影は結構大きいので、もし『がん』だとすればドッグの写真に写っているはずで、その時点で見つけられたと……。『がん』でないのであれば『肺結核』の疑いもあるのかなあ」

聞いていた凛子の脳裏を最初によぎったのは、「結核だけは困る」ということ。客商売にとって一番忌避したい嫌な病気だった。だからと言って「がん」ならいいというわけでは、もちろんなかった。

　こうして凛子に大きな不安を残して診察は終わったのだが、若い医師は最後までシャウカステンから目を離すことはなかった。そしてこの間、患者である凛子の顔をついぞ見ようとはしなかった。


　翌日、凛子は借りてきた前回ドッグのレントゲン写真を持って病院へ行った。診察は若い医師ではなく最初に診てもらった医師だった。新たに撮ったCT画像と持参したレントゲン写真を見比べながら、その医師は凛子の顔を見て説明を始めた。

「右肺上部に小指の先ほどの腫瘍らしきものが写っています。これは『結核』ではなくて『肺がん』の疑いがあると思いますが、当院ではこれ以上のことはできません」。こう言うと、医師は「紹介状を書くので総合病院で詳しい診断を仰ぐように」と指示した。

　凛子は何となく覚悟はしていた。が、しかし、確定ではないにしろ現実に医師から聞かされる「がん」は、心構えを超える衝撃を伴っていた。

「どうして、私が『がん』なの⁉」

　そう言えば思い当たる節がある。あの大好きな登山やトレッキングに体が不思議と付いていかなかった。さらに天職を自任する仕事への意欲が失せ、店に出ることさえ億劫になった。それもこれも「がんのせいだったのか」と考えれば合点がいった。

自分の年齢など気にしたこともなかったが、よくよく考えてみれば凛子は五十六歳になっている。がんに限らず大病を患ってもおかしくない年齢だ、ということを思い知らされて深くため息をつく。

医師の話では、がんは小指の指先大になるまでに一〇年ぐらいはかかるとかで、その後は非常に早く大きくなるそうだ。レントゲン写真に写った腫瘍は、医師に教えられたとはいえ凛子にもはっきり分かるほどだった。

これまでどうして人間ドッグで発見できなかったのか恨めしく思う半面、凛子は一〇年という歳月を鑑みて「原因は母吟によるストレスに違いない」と確信した。

銀座のクラブで「ナンバーワン」となり、以来「花よ、蝶よ」と周囲から持ち上げられ、凛子は常に日の当たる青空の下を歩んで来た。そうした〝素晴らしき人生〟は一転し、「がん」という暗雲が垂れ込めたのだ。

それはまさに「青天の霹靂」だった。

この日の夕方、夏休みに入った息子の壮太郎が帰省した。

凛子は病気のことを電話でそれとなく伝えていたが、壮太郎は「ただ事ではない」雰囲気を察していたようだった。

「がん」の疑いが濃いことを打ち明ける。

真偽は別にして凛子は「通常、がんは痛みが出ない」と聞き、またそれを信じていた。「私の場合は痛みが酷くなってからだから、『がん』ならばもう手遅れ状態なのかもしれない」とも、勝手に素人判断していた。

「私の人生はこれで終わり。一生ってこんなに短いものだったのか」。凛子は観念していた。「これまで、いつでもどこでもどんな場合でも自分が決断し、自分で好きなように生きてきた。今、死んだとしても私の人生、後悔など一切ない」と意識にすり込ませた。

だが、後顧の憂いは……「あった」。そう、息子の壮太郎だ。二十歳になり、成人したとはいえ学生の身で一人っ子。信頼し相談できる兄弟もいないし、親類との付き合いもまだ薄い。私がいなくなった後のことを考えれば、あれもこれもと心配でならない。

とても真面目で素直過ぎる性格は、今となれば恨めしい。「いっそのこと」と、凛子は親として思うのだ。

壮太郎がチャラチャラして手に負えない悪ガキならば、それはそれで心配になるのだろうが、どんな世の中でも器用に生き抜いていけるのではないか。そうであるなら心労の種が少しは減るのかなと……。

「死」という現実を突きつけられた凛子は、体格的に一段とたくましくなった壮太郎の胸の中で、溢れ出る涙にくれた。母親をしっかり受け止めたはずの壮太郎もまた、肩を震わせていた。

凛子はこの休み中、せめて一緒にいる間に自分の考え方や生き様、仕事、財産管理などありったけの知識、経験を壮太郎に伝えようと考えた。

凛子は今、壮太郎に付き添われて長野地方の中核を担う長野市の総合病院に通院している。紹介状はあったが、顔見知りの院長にあらかじめ連絡を入れて頼んだ。

「もう手遅れ気味だと思いますが、急いでいろいろな検査をやってもらいたいです」

そんな折、何年かぶりに赤石克也から電話があった。

赤石は、凛子を銀座で一番の女性に育てる―として、東京時代からずっと支援してくれていた。当時は東京でマンションなどを手掛ける鉄工会社を経営し、すこぶる羽振りが良かった。

だが凛子が長野に戻った後、第一次オイルショックの影響を受けて倒産。福島県の実家に戻って子どもとミンクの飼育をしていたものの失敗し、現在は東京で「年金暮らし」をしているようだ。

「今は退院したけれど、胃潰瘍の手術をしてね」。懐かしい声が電話口から聞こえてきた。これは何かの巡り合わせ⁉　凛子は咄嗟に尋ねていた。

「今、仕事はしていないの？」

幸いなことに赤石は自由の身だった。

「実は私も病気で入院することになるらしいの。でも仕事のことが気になって、家を留守にするのがとても心配になっているのよ」

凛子は昔のよしみにすがるように頼んだ。「しばらく長野に来てもらいたいの。私の家に泊まり込んで、仕事と病院の行き来の面倒をお願いできないかしら」。

「できるよ」と赤石は、即座に快諾してくれた。

いよいよとなった場合の懸案を一つクリアした凛子は、気持ちが軽くなった思いだった。

日々の検査で通院している凛子は、あるとき病院の廊下を掃除している今朝美の姿を見掛けた。「くらぶ凛子」と〝覇権〟を競っていた「サファイア佐藤」のママをしていた、あの今朝美だ。

店を潰して夜逃げ同然に姿を消していた今朝美が、掃除婦として長野の病院で働いていたのだ。この事実に驚いた凛子は、彼女に気付かれないように物陰にそっと身を隠した。見てはいけないものを見てしまったからなのか。あるいは「がん」かもしれない自分を知られたくなかったのか。いずれにしても意図せぬ心理に駆られて反射的に身を隠してしまった凛子は、卑屈な自分を感じた。

きっと、私の「がん」は手遅れだと思い込んでいる凛子は、検査に次ぐ検査を続けていく中で、自分を「死の淵」へと日に日に追い込んでいた。

意識にも変化が表れる。あれほどまでに固執していた宝飾類の数々が、自分が生きて行く上で何の役にも立たない「無用の長物」だったことを痛感した。早速、凛子は古くから「くらぶ凛子」で働いていた従業員たちに声を掛けた。

後日、連絡が取れた一〇人ほどが集まったところで凛子は、特に財産価値の高い大粒の宝石や思い入れの深い物などは息子への遺産として取り置き、その他でそれなりに価値のある貴金属をジャラジャラと広げて言った。

「好きな物を持って行っていいわよ」

言うなれば形見分けのようなものだったが、喜んだ彼女たちは「後で元気になっても、『返せ』なんて言わないでね」などと軽口をたたきながら、それぞれが仲良く選んだ。

凛子には気が置けない仲間と過ごす久しぶりの和やかなお茶会だった。

凛子は担当医と向き合っている。

数々の検査を経て、その結果を告げられようとしていた。

担当医は「はっきりした証拠は、まだ見つからないのですが……」と、前置きしてから説明を始めた。

「中園さんの右肺上部のしこりは『がん』に間違いないと思います。三から五センチ以上の大きさですが、他への転移は見つかりませんので『ステージ3』だと思います」

やっぱり、そうだったか……。

でも「がん」と分かって、逆に覚悟が定まった凜子は気丈に尋ねた。

「それではこれから先、どのような治療になるのでしょうか?」

「見たところ中園さんは体力がありそうなので、手術が良いのではないかと思います」

「じゃあ、手術をお願いします」。間髪入れずに頼む凜子を担当医は遮った。

「中園さんの『がん』は、肋骨ともくっついている上、肺の上部の非常に複雑な場所なので、当院では手術ができません」

「えっ⁉」と、凜子は困惑しながら質した。

「それなら、どうしたらいいのでしょうか?」

「松本の信濃大学医学部なら紹介できると思います」

担当医の曖昧な答えをスルーして、凜子は「ちなみに日本で『肺がん』といったら、どの病院が一番なんですか？」と聞く。

担当医は、東京の「東阪医療大学病院」を挙げた。

しかし「紹介状」を書いてほしいと頼む凛子に返ってきた言葉は、つれないものだった。

「当方とは、コンタクトがないので書けません」

「……」

結局、どうするか考えてみることにして帰宅したが、具体名が挙がった東阪医療大学病院での手術を望む凛子は、何とか手立てを探ろうと考えていた。

藁にもすがる思いの凛子は、友達付き合いをしていて夫が長野一区選出代議士のまり子夫人に、真っ先に電話を入れた。一通り事情を説明してから、東阪医療大学病院に知人がいないかどうか尋ねた。

まり子夫人は凛子の話に驚き、何とか力になりたいと言ってくれたが、「私も夫も出身大学なら何とか紹介できるけれど、その医療大病院にはツテがないのよ」と、残念そうに答えた。

次に頼ったのは宮﨑英喜参議院議員だった。長野にいる高校時代の同級生らと事あるごとに「くらぶ凛子」に飲みに来てくれている。早速電話したが、現職の国会議員だけに多忙とみえて留守だった。後ほど連絡をもらえるよう秘書らしき人に伝言した。

折り返しの電話を待つ間、他に頼りになりそうな友人、知人の顔を思い浮かべる凛子は、経済界を中心に幅広い人脈に期待できる一人に思い至る。

小沢秀樹―もともとは長野市出身だが、東京で事業を起こして成功し一代で築いた会社を経営している。共に十代のころにひょんなことから知り合った。

小沢は、慶応の大学生だった当時、高校に入学したばかりの凛子に交際を申し込んだ〝経歴〟の持ち主で、その際の話がちょっと面白い。

直接、凛子の自宅に押し掛けた小沢は、あいにく出掛けていた凛子とは会えずじまい。普通ならばここで諦めて帰るところだが、小沢は違った。家に上がり込んで母の吟を相手に交際を直談判したのだ。

さらに偶然は重なり、この小沢秀樹は、凛子が中学時代に初恋気分で応援していたバスケット部の贔屓選手―小沢賢吾の兄だったという、奇妙な「三角関係」のおまけまで。結局は、当の凛子にまだその気がないことや、通う高校が男女交際に厳格だったこともあって、付き合うことはなかった。

と、いうわけで浅からぬ因縁の小沢は、時を経て毎年営む実家の法事に「割烹陣屋」を使い、帰省した際には長兄として賢吾ら二人の弟を連れて「くらぶ凛子」にも顔を出す。

凛子はそんな気の置けない間柄の小沢に、電話で「私、病気になっちゃったのよ」と告げた。病気は「肺がん」であること、東阪医療大学病院に入院するための紹介状をお願いできる人を探していることなどを話した。

「それはエライことになったなあ」と、嘆息するようにひと言応じた小沢は、こう申し出てくれた。「別の大学病院の呼吸器外科医を知っているから、その先生から入院する医療大病院への紹介状を書いてもらってあげるよ」。

親身になって心配してくれる小沢の親切に甘えることにして、ホッと一安心した凛子に電話が入った。先ほど秘書らしき人に伝言を託した宮崎参議員からで、これ以上はないと言える朗報が、凛子の耳元に頼もしく響いた。

「僕はね、凛子ちゃんが言う東阪医療大学の出身なんだよ」。

そして、胸を叩かんばかりに凛子の願いを請け合った。

「呼吸器外科で『神の手を持つ』と言われている加原教授っていうのが僕の後輩でね。つい先ごろも会ったばかりだよ。紹介状は任せなさい！」

涙が出るほど嬉しかった凛子は、そこでハタと気付いた。そういえば「参議員になる前から、名古屋で開業医をしているお医者さんだったんだ」っけ。

さらにこの日の夜、最初に電話したまり子夫人から「今、私は軽井沢のパーティーに出席しているところだけれど……」と言って電話があった。

話す。

「私の隣にたまたま座った方がね、凜子ちゃんが言っていた東阪医療大学病院の呼吸器外科の加原教授という先生と、つい先ごろまでご一緒に仕事をしていらしたとお聞きしたのよ。それで早速、凜子ちゃんの病状を説明したらすぐに紹介状を書いてくださり、『一日も早く医療大に行くように』とおっしゃられたのよ」と、まり子夫人は少し興奮気味に話す。

「その方はね、いくつもの病院や医療学校を経営されている東海グループ理事長の江波一仁さんだったの。何ともタイミングが良くて私もびっくりよ。とにかく大至急、紹介状を届けるから急いで病院に行ってね」

電話を切った後、まり子夫人に心から感謝する凜子をさらに驚かせたのは、深夜に何と夫の代議士自身が、紹介状を凜子の自宅まで直接届けてくれたことだった。

二、三日後、小沢が頼んでくれた別の大学病院医師の紹介状が送られてきた。

肺がんが見つかったことへの不安と、肺がんの分野では最高の医療技術を有すると言われる東阪医療大学病院にかける希望とが入り乱れ、凜子は混沌とした精神状態で近しい人たちを頼った。

結果、その三人が三人とも、凜子の願いどおりに紹介状を手配してくれたのだった。

「私がお願いした方々から東京の東阪医療大学病院への紹介状が三通揃いましたので、そちらに行って手術をしてもらいたいと思います。レントゲン写真やカルテ一式をいただけますでしょうか」

凛子は長野市の総合病院に出向き担当医に告げた。

すると「少々お待ちください」と言い残して診察室を出て行った担当医は、しばらくして戻ると「当院の院長が紹介状を書くそうなので、それもお持ちください」。事務的に言った。最初に紹介状を頼んだ際は、「東阪医療大学病院とはコンタクトがないので書けない」と断ったくせに、今更……。凛子は釈然としなかったが、院長の紹介状も預かった。

明日、東京に向かう前の日、凛子は母の吟にこれまでの経過を説明してから、「東京の医療大学病院に入院して手術することにしたわ」と伝えた。

母は凛子を気遣う様子もなく、ひどく不満顔でこんな文句を言う。

「東京だと、見舞いに行くのも金がかかるし大変だから、もっと近くに病院はないのかい？　信濃大病院に入院したらどうなの」

全ての判断基準が自己中心で母らしいと言えばそのとおりなのだが、娘の命に関わる大事にも自分の都合を優先する。これまでも母には、数えきれないほどの苦汁を嘗めさせられて慣れっこの凛子は「やはりね……」と、このときもモヤッとした割り切れなさの中で心が深く沈んでしまった。

凛子は、息子壮太郎の付き添いで東阪医療大学病院に赴いた。都合四通の紹介状を加原教授のアシスタントに手渡して診察を待った。

狭い廊下に置かれた細長いベンチのような長椅子に座り、随分と時間が経ったところで、ようやく名前を呼ばれて教授の診察室に入った。だがそこには教授の姿はなく、凛子は助手のような若い医師に病状を細かく説明した。

その後しばらくして現れた加原教授によって、凛子は「明日入院」と決まった。

長野にとんぼ返りした凛子は、慌ただしく入院の準備に取り掛かった。また、入院したら長野に来てもらうことになっていた赤石には、断りの電話を入れて「東京の大学病院で手術を受けることになった」旨を伝えた。

凛子はスーツケース二個に荷物をまとめ、壮太郎に伴われて入院した。最初に右肩甲骨辺りに異変を感じてから一か月半ほどが経った八月二十四日のことだった。

旧盆が過ぎると信州では秋の気配が漂い始めるのだが、東京の都心はまだ夏の真っ盛り。それでも病室は八階にある個室の「特別室」とあって、暑くも寒くもなく快適な環境が保たれていた。広さは普通のビジネスホテル並みで、入り口には小さいながらもキッチンがあり、当然トイレも付いている。

この辺りのビジネスホテルなら平均で一泊一万円といったところだが、西新宿の一等地にある大学病院の特別室とはいえ、一泊三万八〇〇〇円はいかにも高かった。廊下からは東京都庁も間近に見え、晴れた日には富士山も望めたが……。

酒にはからっきし弱い凛子だが、タバコの方は一日に二箱のヘビースモーカー。自宅には三カートンもの買い置きタバコがあったものだが、入院に際して思い切って捨ててきた。

病院では「禁煙」が当然と思っていたからに他ならないが、凛子の特別室がある八階中央辺りのフロアには、何と灰皿が設置されていた。患者のためでないことはハッキリしているが、これを見てしまった凛子にはもう我慢できるわけもなく、売店へ一直線にタバコを買いに走った。

フロアに戻った凛子は、深呼吸でもするように深く一服した。肺がんで入院したにも関わらず、タガが外れたようにタバコを吸っている患者を医師が見逃すわけがない。

「中園さん、タバコを吸っているでしょ。止めてくださいよ」と回診のたびに何度も注意された。「タバコを止めないなら、治療はしてあげませんからね」。

不謹慎な患者のせいではないだろうが、そのうちに八階フロアの模様替えがあって灰皿は撤去されてしまった。そんなことではめげない凛子は、一階の喫煙所まで下りて行ってタバコを吸い続けた。

長野の病院でも検査はしていたのだが、この東阪医療大学病院でも検査漬けの毎日。午前中は全て検査に費やされる一方、午後は何もすることがなかった。

完全にフリーとなる退屈な時間を持て余すことなく、凜子の気を紛らわせてくれたのが赤石だった。

入院した翌日、早速病院に凜子を訪ねた赤石は、それからというものまるで通勤するかのように毎日午前十時には病室に来る。そして凜子の夕食が済むまで付き添って、何くれとなく世話を焼いてくれるのだ。

凜子はほとんど連日、医師に午後の外出届を書いてもらい、赤石を案内役にして〝東京見物〟としゃれ込んだ。美術館や博物館をはじめ公園とか屋敷跡など、かつて東京に住んでいながら知らなかった都内のあちらこちらに足を運んだ。

間近に控える大きな手術のことなど忘れたかのように、凜子は入院生活を有意義に送っていた。

また、夏休みが終わり静岡の医療専門学校に戻った息子の壮太郎も、毎週末には見舞いに来てホテルに泊まる。土曜日の夜は、赤石も交えた三人で夕食に出掛けることも楽しみの一つだった。

こうした間でも、凛子の背中の痛みは続いた。薬を手放せない日々に変わりはなく、体の隅々まで検査を続けるものの「がん」という確証は、なかなかつかめなかった。

それでも、背中から影のある部位に太い注射針のような物を刺し、細胞を採取して調べる「生検」を最後に行い、ようやく「がん」との診断が正式に下った。

肺尖がんの「ステージ3A」。凛子は息子の壮太郎と一緒にカンファレンス室で医師から告げられた。「これが『ステージ3B』になると、もう手術ができなくなります。中園さんの場合はぎりぎりですが、手術は可能ですよ」。

医師は、僅かな希望を見出すかのように言ってくれたが、凛子は〝本筋〟を外して以前から気に掛かっていたことを口にした。

「原因は、タバコの吸い過ぎなんでしょうか?」

禁煙できないのは「自己責任」だから仕方ないと諦めて、結果を受け入れる心積もりはできていた。だが医師は「『肺尖がん』の場合、タバコとは関係ありませんよ」と断言した。

意外な答えに触発されるように凛子は、自分の症状でかねてから不思議に思っていたことを聞いた。「咳もまったく出なかったんですよ」。

「中園さんのように、肺の入り口ではなく肺の上部にできた場合、咳の症状はないのですよ」と教えてくれた。

そういうことなのか……。凛子は診断結果に納得できた気がした。

「がん細胞は足が四方八方に伸びています。手術のときでも医者の目でがん細胞の足の先まで見ることはできません。このため全てを取り除いたつもりでも、見えないがん細胞が残ることがあります。結果、それが再発となってしまうこともあるのです」

医師が話す今後の治療法を一言も聞き逃すまいと、凛子は耳を傾ける。

「ですから中園さんの場合、手術前に化学療法の抗がん剤治療を六回ほど行って、がん細胞を攻撃します。そして細胞自体が縮小し厄介な足も引っ込んだところで、手術によってがんを取り除きたいと考えています」

とても分かりやすい丁寧な説明に、凛子は満足しつつ医師への信頼の度を深めた。

「抗がん剤治療が始まると、吐き気を催し髪の毛も抜けますが、治療が終われば元通りに戻りますから」の言葉にも大きく頷いた。

こうして一週間おきに六回の抗がん剤治療が始まった。

髪が抜けたときのことを考えてスカーフやらウイッグなど周到に用意し、辛さを覚悟して臨んだ一回目の投与。張り合いがないほど体に変化も苦痛も現れなかった。

凛子は運動不足を解消するために毎日外出して散歩したり、一階から病室のある八階までの階段を上り下りしたりと、意識して歩くことを心掛けた。

背中には依然として痛みを抱えていたが、廊下を元気にすたすた歩く凛子は同じ階の患者たちから付添人に間違えられた。「私も手術を控えた皆さんと同じ『がん患者』ですよ」と言うと、びっくりされるほどだった。

二回目の投与。苦痛などはなく、「他の人たちと違って抗がん剤治療には強い体質なのかもしれないわ」と思い込み始めたその矢先、気にしていた髪の毛が抜け始めた。恐るおそる頭に手をやって髪を触っただけで、ごく自然にまとまって抜けて指に絡み付く。寝返りを打つたびにごっそりと髪が枕に張り付いた。地肌が透ける感じになっていたが、元来髪の毛が多いせいかウイッグを被るほどではなかった。

三回目。相変わらず外出を続けているが、電車に乗った際に首の後ろが詰まる感じがして、乗り物酔いのような状態になることがあった。でも、それほど酷いということではなかった。

恐れていた事態は四回目から現れた。抗がん剤治療の副作用が一気に襲ってきたのだ。一日中吐き気を催し、においに異常なほど敏感になる。普段は何とも感じなかった看護師特有の薬品のにおいにも極度に反応し、それこそ往生した。

食事もまともにできなくなった。体が食べ物を受け付けないのだが、不思議なことに普段まったく食べないリンゴが無性に食べたくなる。一個を四等分にした一欠けらのさらに半分ぐらいしか食べられないのに、なぜか欲した。それとチーズに「歌舞伎揚げ煎餅」。このとき凛子は「私って、この三種類だけあれば、生きていかれそうだわ」と思ったほどだ。私が再びがんになったとしても「抗がん剤治療だけは絶対に受けたくない」。こう〝決意〟するほどきつかった。だがその一方で、凛子はこうも考えて耐えようとした。

「この苦しさ辛さは、自分の一生のうちからみればほんのわずかな時間なのだから、ここは我慢だ!」

自己暗示をかけるみたいに何度も何度も言い聞かせて、めげる気持ちを奮い立たせた。そして、予定された六回の抗がん剤治療を根性でやり遂げた。

そのかいあってがん細胞が小さくなっているのが確認された。抗がん剤の副作用が出始めてからずっと吸えなかった大好きなタバコも〝復活〟して、手術は四週間後と決まった。今度は手術に向けた検査が始まる。夜間には、酸素吸入器を長時間装着するなどの準備も行われる中で、凛子は一週間の外泊許可を得て長野に帰った。

「有限会社陣屋」は決算期を迎えていたのだ。

すでに「割烹陣屋」は閉店していたので決算対象となる現在の会社の事業は、割烹跡の一、二階をリニューアルした賃貸マンションと駐車場、そして凛子の馴染み客で営業が成り立っている「くらぶ凛子」だけ。

その「くらぶ凛子」も今や五人のホステスを中心に回しているに過ぎない。このため凛子は、彼女たちに「自分たちの給料分だけ売り上げればいいいから」と言い置いて、手術が待つ東京に戻った。


平成十四年十一月十二日、手術は午前九時半から始まる。

病室を出る直前にタバコを一本深く吸い込んでから手術室に向かった凛子は、手術台の上に寝かされている。右肩を上に横向きにされたままでのことはハッキリと覚えていたが、その後フワッと意識が遠のいていくのが分かった。

約八時間三〇分後、凛子は真夜中のように暗い室内で目を覚ました。そこはナースステーションと廊下を挟んで向かい合う「観察室」で、手術を終えた凛子は丸一日ここに留め置かれた。

辛く、とてつもなく長い時間に思えた「観察室」を出て、八階にある自分の個室に戻った凛子は、まるでスパゲッティーに絡まれているような状態だった。体のあちこちに開けられた〝穴〟から伸びる何本もの管につながり、口は酸素マスクで塞がれて思うように喋れない。

こうした悲惨な状況下に置かれながらも、凛子は安ど感に包まれていた。

「大手術を乗り切り、私は死なずに済んだ……」。敬虔（けいけん）な信者のように、神に感謝する気持ちに溢れていたのだ。

そして四時間おきに服用できる痛み止めを待ちわびて、時計とにらめっこする中でさえ、波のように繰り返し寄せる手術後の激痛に「生きている証」を感じていた。

手術は、背中の右肩甲骨から脇の下にかけて切開して右肺上葉を全摘した。また、がん細胞が癒着していた第一、第二肋骨も部分切除したほか、がんが認められたリンパ節も同時に取り除いた。

年内には退院できるはずだった。正月は、息子の壮太郎とずっと付き添ってくれている赤石の三人で箱根に出掛け、温泉に浸かって療養でもしようかしら—。

凛子は久しぶりに明るい希望に胸を膨らませていた。

もうろうとする意識の中を彷徨（さまよ）うみたいに、体がフワッと宙に浮いている。夢灯篭のように病棟の廊下の無機質な天井と床がゆったりと回転しながら、かすかに映る視野を流れて行く。

スローモーションのような意識感覚とは裏腹に実際の凛子は、医師が小走りに急いで押す車いすにぐったりと身を委ねていたのだ。

この日、凛子の容態が急変した。日曜日とあって休みの担当医師たちが急きょ呼び出され、車いすに乗せられた凛子は検査のため病院内をあちこち移動させられていた。

手術した傷口の化膿が原因で、「敗血症」になりかけていたという。また、開いてしまった傷口から、空気が肺まで入れば命に関わる重大事だったと、後から聞かされた。

そのとき凛子は、車いすで移動中に感じた—何の疑念も抱かず、体の痛みも感じず、宙を舞う感覚の中で天に召されるのなら、あのまま死ねるのなら……「死も怖くはない」と思った。

日々、傷口の消毒がより入念に行われ、管を通して出る体液の濁りも怠りなくチェックされた。

最初の手術からほぼ一か月が経った十二月十三日、「術後皮下膿胸」により開いてしまった傷口を縫い直す手術が、形成外科で行われた。

手術が終わり、例の暗い観察室のベッドで麻酔から覚めた凛子は身動きがとれなかった。右手を両乳房の上に重ねたまま上半身を包帯でぐるぐる巻きにされ、寝返りも打てない状態だった。

数日後、また傷口が化膿する。縫い合わせたはずの傷口が再度開いてしまっていたのだ。

もちろん傷口の消毒は欠かさず毎日行われた。

消毒というと簡単に聞こえるが、結構手間のかかる作業なのだ。看護師が凛子の体の下にナイロンシートを滑らすようにして敷き、患部に生ぬるい消毒液を長い時間流し続ける。終わると薬を塗り新しいガーゼに取り換えるのだが、この際看護師が身動きできない凛子の下の世話を含め、体の隅々まで石鹸で洗ってくれる。この時間が凛子にはとてもありがたく、恥ずかしさも忘れて待ち遠しくもあった。

傷口さえ塞がれば退院できる、という希望にすがり痛みと闘っている。が、しかし、またしても傷口はジュクジュクと化膿してぱっくりと口を開けた。

「こんな状態になったのは医者の責任よ！」。見舞いに来た看護師資格のあるいとこ、君子姉がプンプンと怒っていたが、抗がん剤治療で免疫力が落ちているから化膿するのだと、凛子自身は〝善意〟に解釈していた。

医師たちの説明では、感染症予防の抗生物質による治療を施しているのだが、細菌の種類があまりに多いことから使用した抗生物質が、必ずしも細菌に合っていなかったのかもしれないという。その上で「傷口に一番良い薬を見極めているので、一日も早く傷口が閉じるように努めます」と言った。

こう話す医師たちを信頼して任すしかない凛子には、気丈に耐えることだけが残された手段だった。苦境に打ち勝つ体力が残っていることをただただ願った。

闘病の拠り所となっていた「年内退院」は叶わなくなった。

長野では「くらぶ凛子」の経営がおぼつかない状態を続けていた。今回の入院に際して「自分たちの給料分だけ売り上げればいい」と言っておいたはずなのに、それさえ確保できず凛子が病院から給料を送金していた。

ホステスたち従業員のこうした体たらくに、凛子は「くらぶ凛子」の経営に見切りをつけることにした。折しも「くらぶ凛子」で請け負っていた「無尽」が、ちょうど満会になるのを良い機会として、凛子は迷うことなく年内いっぱいで閉店を決意したのだ。


凛子は、平成十五年の正月を東京の東阪医療大学病院のベッドの上で迎えた。

いつまで続ければ治るのか、相変わらず傷口の消毒を繰り返していた一月十七日。担当医は藪から棒に「いったん退院してください」と告げた。

えっ⁉ 凛子は信じがたい言葉に満足な反応もできなかった。が、そんなことにはお構いなしに担当医は淡々と言った。

「こちらから紹介状を出しますので、長野の総合病院で治療を継続してください。その間、一か月に二度ほどこちらの病院に来てもらい傷口を確認します。良い時期になったらもう一度、傷口を閉じる手術をします」

考えてみれば、この医療大病院に入院して五か月になろうとしている。凛子のいる八階では最古参の患者となっていた。

とりあえず長い入院生活に一度ピリオドを打つことにした。入院中、毎日通って何くれとなく面倒を見てくれた赤石に別れを告げて、凛子は長野に戻った。

ほぼ半年ぶりに〝帰還〟した主を迎える自宅は寂しかった。一人息子の壮太郎は静岡の医療専門学校に行っている。階下の部屋には元従業員の五十嵐信子がいたのだが……。

信子は「割烹陣屋」の閉店の折、再就職先も身寄りもなかったことから、凛子が更衣室だった八畳間を提供し、食事はもとより生活全般の面倒を見ている。入院中も生活費を渡していた。

他人の手を借りなければ一人で生活もままならない信子だけに、心配した凛子は荷物を解くのもそこそこに部屋を覗いた。

するとどうだ。自分で料理ができない信子は、コンビニやスーパーから弁当などを買ってきて食べていたのだろう。その残骸が諸々のゴミと交じって山と積み上がり部屋の入口まで迫っている。まるでテレビで見る「ゴミ屋敷」そのものといったありさまに驚いたり呆れたりした凛子は、信子を叱りつけながら何とか片付けさせた。

凛子は、肘から曲げられた右手が左胸を押さえる形で固定されているため左手しか使えなかった。入院中とは異なり退院した今、身の回りのことは自分でしなければならないが、顔を洗うにも髪を梳くにも何をするにも全てが不自由極まりなかった。

東阪医療大学病院の紹介状を持って長野市の総合病院に行った凛子は、形成外科で傷口の消毒をしてもらうことになった。

凛子が当初、通院しながら検査を受けて「がん」と診断されたのがこの病院。言うなれば「出戻り患者」のようなものだ。

消毒は基本的に毎日行う。通院とリハビリの散歩が凛子の日課となった。信子が一緒に付き会ってくれる散歩では、意識して右肩を少しずつ前後に動かすように心掛けた。

ところが大きな問題が浮上する。土、日曜日の「休院日」がネックとなり外来での消毒が丸二日できないことになるのだ。

「『休院日』は、急患用の受付で来てもいいですか?」

尋ねる凛子に担当医はけんもほろろに「土、日は来なくてもいいです」と言う。

「東京の医療大病院に入院中は土曜、日曜に関係なく毎日消毒してもらっていましたし、二日間も消毒しないのは自分としても不安なので、診察をお願いできませんか?」

懇願する凛子を跳ね付けるように医者とは思えない言葉を、担当医は投げ返したのだ。

「だったら、その医療大病院に治療してもらえば宜しいのではないですか？　そうでないなら休みの二日間は、ご自分で消毒すればいいじゃないですか」

凛子は絶句して耳を疑った。

「先生、私は一人暮らしなんです。一人で背中のガーゼを取り換えることなんてできませんよ」。どっと溢れ出る涙と共に抗議した。だが……

「なぜ、できないのですか？　薬を塗ったガーゼをソファーに置いて、そこへ背中を押し付ければいいじゃないですか」

信じられないことを言い捨てて、取り付く島もない担当医は奥に引っ込んでしまった。

後に残され困惑するばかりの凛子は、傍にいた看護師に救いを求めた。「先生の言うようにそんな器用な格好で、ガーゼを張るなんて私にはできませんし、洗い流すことだってできないですけど……」。

そして「私、どうしたらいいのでしょう」と、喉元まで出掛かった言葉を凛子はのみ込んだ。医師と患者の間に挟まれて、どうしていいのか分からない様子で俯き、ただ頷くばかりで、凛子を見ようともしなかった看護師だったから……。

悔しさと悲しさと不安が、ごちゃごっちゃになって涙が止まらず、子どものように泣きじゃくる凛子は、病院から自宅までどこをどうやって帰ったのか覚えていなかった。

「えっ！」。凛子は三面鏡に映る自身の背中に驚愕した。

右肩甲骨に沿って縦に約一五チセン、幅が八チセンほどの傷口がひし形状にぱっくりと開き、露わな肉の塊の奥には白い骨のようなものが見える。さらに同じように開いた傷口が右脇の下にもある。その〝惨状〟に凛子は思わず息をのんだ。

病院のベッドの上でも家に戻って来てからも、自分自身の体の二か所、無残に口を開けた手術の痕など見たこともなかった。

それが図らずも、ガーゼを自宅で取り換える必要に迫られ、「どうやったら一人でできるのか」確かめるために、傷口の状態を鏡に映してみたのだ。

自分の背中とは到底思えなかった。想像を絶する右肩甲骨辺りと右脇の下—その「世にも恐ろしい傷口」のおぞましさにぞっとした。

—傷口がこれほど酷い状態なのに退院させたのは、もう手の施しようがなかったからではないか。

—長野の病院でも東京の医療大病院から「エライものを押し付けられた」と思っているから、ああして患者を見捨てる扱いを平気でしたのではないのか。

いろいろと考えはじめると、疑心は留まるところを知らず闇を深め、凛子は自ら出口を塞いで絶望感に苛まれる日々を過ごすことになる。

「傷口はこのまま治らないかもしれない。私はこの傷口と共に一生を過ごすことになる」

死んでしまいたい思いに取りつかれた凛子の目に映る景色は、昨日までの色彩が全て消えモノトーンに変わってしまっていた。荒んだ心と頭の中は「死」の一文字が席巻し、拭えば拭うほど浮かび上がってくる。

「自殺」の手段を考えはじめる凛子がそこにいた。街を歩けば、高い建物の屋上やベランダ、外階段を物色するように見上げている自分に「はっ」とする。

手元には睡眠導入剤が多量に残っている。今の時季の奥山は雪深い。雪に埋もれて睡眠薬を飲めば死ねるはずだが、遺体は見つけてもらえるだろうか。

その昔、いとこが練炭自殺したことをなぜか思い起こす。密閉が条件の練炭自殺にしても自宅や別荘では住みづらくなる上、売却するにも「問題物件」だ。そうでなくても大きな迷惑を掛ける壮太郎に、さらに余計な〝負の遺産〟を背負わせてしまう。

自殺は、残される壮太郎に何よりも申し訳ないことなのだ。せめて専門学校を卒業するまでは実行に移せない――等々、「自死」を巡る凛子の思考は混沌としていた。

食事は喉を通らない。体はやせ細り、瞼は重く被さり、みなぎっていた生気は完全に影を潜めてしまっている。

春休みで帰省していた壮太郎が静岡の医療専門学校に戻る日、見送るため凛子は長野駅まで一緒に行った。

列車の発車時間を待つ間、駅構内の喫茶店に入り壮太郎と向かい合う凛子は、「息子と二人で過ごすのも、これが最後になるかもしれない」と〝秘め事〟が切なく込み上げて胸が詰まる。

凛子はその昔、池袋の暴力団の若頭に目を付けられて「俺の女になれ！」と脅迫された。そのとき「人生これまで」と観念して睡眠薬で自殺を図ったことがある。未遂に終わったが、若かった当時「生」への執着が驚くほど淡白で、あっさりと「死」を選択した。

次に「死」と面と向かったのは「肺尖がんステージ３Ａ」と告げられた際、すでに手遅れと勝手に決めつけて、「人生って、こんなに短いものだったのか」と覚悟したが、後悔はなかった。

そして、地獄の底を覗くが如くぱっくり口を開けた手術痕と、医者から見放された絶望感が重なった今回ほど、暗澹たる「死」と向き合うのは初めてだった。

まさに「地獄に仏」とは、こういうことを言うのだろうか。

消毒のためとはいえ、居心地の悪い総合病院に毎日イヤイヤ通院していた凛子は、ある日突然、自宅からそう遠くない妻科町に一、二年前だかに開院した形成外科医院があることを、閃きにも似た感覚で思い出した。

曲がりなりにも総合病院で治療している後ろめたさを感じながらも、凛子は思い切って山口形成外科医院を訪ねた。

診察した山口医師は、傷口が塞がらない手術痕を見て驚いたように、「二か所とも傷口が大きくて感染症になったら大変だから、これから毎日、消毒ガーゼの交換に来なさい」と言った。

そして最初に総合病院での扱いを凛子から聞いていた山口医師は、付け加えてこうも言ってくれたのだ。

「当院は自宅ともつながっているので、日曜日でも診てあげるから、いらっしゃい！」

暗闇にさまよう凛子は、目の前に「ぽっ」とろうそくの明かりがともるのを見た気がした。それからというもの、山口医師の優しい言葉と親切な対応に、凛子は「死」の呪縛から徐々に解き放たれていった。

ささくれ立った傷をいやすように荒んだ心は和らぎ、気持ちが前向きになると自然に食事量も増して元に戻る。するとどうだろう、せっせと通って消毒を繰り返していた傷口の周りの肉が、目に見えて盛り上がってきていたのだ。

回復ぶりを文字通り肌で感じる凛子は、「人間の体は、本当に食べ物によって作られている」ことをつくづく実感した。

「傷口の周りに肉がしっかりと盛り上がってきており縫えそうです。再入院して縫合手術を行いましょう」。一か月に二度ほどのスパンで傷口の経過観察に通っている東京の東阪医療大学病院の診察でも快方が確認される。

三月二十六日、二か月ちょっと振りに再入院。二十八日縫合手術を受けた。

ほぼ一週間後の四月五日に退院した凛子は、今まさに百花繚乱―生命力に溢れる信州に戻った。そして、悩まされ続けた傷口が再び開くという悪夢も消えて快癒、山口医師は凛子の「命の恩人」となった。

凛子は毎日、何とか利く左手で食事を作っている。もちろん住まいを提供している信子の分も用意し、部屋に呼んで一緒に食事を取る。また日課にしている右肩のリハビリを兼ねた散歩も、変わらず二人で出掛けている。

天井の梁に掛けて垂らした紐の一方を右手首に巻き、左手で片方の紐を引っ張って右腕と肩を上げたり下げたり、自己流のリハビリ法も効果はテキメンに表れた。

平成十六年三月。浜松医療専門学校で行われた壮太郎の卒業式に、和服姿で臨む凜子の姿があった。

同校が初めて送り出す卒業生の代表として壮太郎が答辞に立っていた。

ちょうど一年前、春休みを終えて長野から学校に戻る壮太郎を見送った長野駅の喫茶店で、こうして二人で過ごすのも最後かもしれない、と密かに「自死」を覚悟していた凜子は今、生きて晴れの舞台の息子を誇らしくも眩しく見上げている。

答辞を読み上げる堂々とした態度は無論のこと、滔々と述べるその内容の見事さに母親として素直に感動した。

「大人になったなあ……」。凜子は言い知れぬ感慨に浸っていた。

壮太郎は卒業後、都会ではなく長野で働くことにした。がんを克服したとはいえ、母一人子一人の境遇を踏まえて母の傍にいようとする息子の優しさが、凜子には身に染みてありがたかった。

長野で親子二人の生活が始まり、凜子は元の日常を取り戻していた。

とはいえ、割烹やクラブはすでにない。わずかばかりの不動産賃貸を生業とする凜子は、これまでのように仕事に追われることもなくなり、時間を好きなように自由にコントロールできる喜びを覚えた。

朝食と弁当を作り、夕食を用意して壮太郎の帰宅を待つ。食後は二人でのんびりとテレビや映画のビデオを見たりして……。凛子は、幼い壮太郎を子守に任せ切りにしていた〝失われた時間〟を取り戻すかのように一緒に過ごした。

事実、凛子は一日の快い疲労感を慰めるこうした夜の穏やかな時間が、これほど貴重で素晴らしいことだとは思いもしなかった。それが今、味わえている。この幸せが凛子をじわ〜っと包み込んでいた。

がんじがらめの時間から解放されたことで、初めて気付いたことが凛子にはある。

「世の中で一番大切なのは『家族の和』。母となって本当に良かった」

遅まきながらしみじみと心に刻む。

思えば凛子は、世間を渡っていく上で必要とされるような知恵を、母の吟から何一つ教えてもらった記憶はなかった。

壮太郎を私と同じ目には合わせたくない——と、凛子は強く心に誓う。

「がん」だとほぼ診断された時に、自分の全てを壮太郎に伝えようとした。だが、伝えきれていないことも多く残っている。

最も心配な健康管理のことに始まり、信用の大切さや他人への感謝の気持ちとかの人間関係。社会生活を営む上で必要な普段からの心構え。そして凛子がここまで生きて体験したことや知見、そこから生まれた信念まで、あらゆる機会を捉えて話して聞かせた。

「割烹陣屋」と「くらぶ凛子」を経営していたときの生活は、華やかに煌めいていた。それも今は昔―収入は不動産の賃料だけで全盛期とは比べようもない。凛子の生活環境は一変し、暮らし向きは随分と地味になった。

値段を気にすることもなかった買い物は、「これ幾らだろう」といちいち確認してから買うようになる。これまで乗ったことがなかった路線バスの乗り方を初めて知った。

銀座から長野に帰って来て以来、母の吟から引き継いだ借金返済に加えてしょっちゅう金をねだられた凛子は、常に金銭問題を抱えて苦しんだ。その億単位の膨大な借金も完済し、これからの生活のメドも何とか立っている。

贅沢をせず普通の暮らしをしていければ、それはそれで「良」としようと、凛子は思っている。

そういえば術後の話だが、背中に残る大きな手術痕が多少は気になるものの、温泉好きの凛子は日帰り入浴を楽しむまでになっている。

長野に帰って来てから凛子は、過去に一度だけ銭湯に行ったことがあった。当時、夜の街ではちょっとした「有名人」の凛子は、周囲から好奇の目でじろじろと見られてしまう。これに懲りた凛子は、それからというもの入浴施設には一切行くことがなかった。

だが店をやめた今は、何のしがらみも持たない。加えて手術の痕が癒えてきていたことが凛子を何よりポジティブにさせている。温泉施設を〝解禁〟したそのこと自体、凛子の気力と体力の回復ぶりを物語っていた。

第十八章　母吟の生き様

緯度にして二度にまたがる南北に長い信州で、「北信」に位置する県都の長野市にも、遅い春の訪れを取り戻すかのように桜前線が駆け足で北上してきている。

凛子は心浮き立つような芽吹きに誘われて、日課としている手術後のリハビリの散歩に足取りも軽く励んでいた。

母の吟は相変わらず、自分の店「おふくろの味 吟」が休みの日には凛子の所に来ているのだが、大病後の体を気遣うことなどは一切なかった。その代わりに、妹の「由美子は、私が行くと本当にいい物を食べさせてくれる」とか、弟雄一の嫁「幸子は、私がお風呂に入るときは気を利かして蓋を取ってくれるし、布団をちゃんと敷いて寝床を用意して、とても親切にしてくれる」とか、いかにも当て付けるような嫌味を言う。

病後の労り(いたわ)の欠片(かけら)も見せない母の我がまま放題な振る舞いに、凛子の我慢は限界だった。

「ゆくゆくお母ちゃんが商売をやめて一人暮らしが辛くなったら、私が面倒を見ると昔から言っているけど、今は私の体が思うように動かないのよ」

母の吟が忌々(いまいま)しそうに凛子の顔を見ている。

「お母ちゃんが私の家に来ても満足のいくようなことは何もできないの。だから私の体が良くなるまで、しばらく来るのを遠慮してちょうだい」

凛子は〝禁断〟の言葉をつい口にしてしまった。

もちろん吟は激高した。例によってあっちこっちで凛子の悪口を言って回る。しかし凛子は、今は自分の体を大事にすることが第一と、極力気にしないように努めていた。

この一件をきっかけにして、吟は姿を見せなくなったのだが、今度は電話でしょっちゅう「お金を頂戴！」とねだるようになる。

「今は病気のリハビリに専念しているのよ」。凛子は電話口で何度も説得する羽目に追い込まれた。

「もう店もやめたから収入がないこと知っているでしょ。以前のようにお母ちゃんにやるお金はないのよ。それに、お母ちゃんには二年前に『これからの生活のために』と言って、一五〇〇万円を渡してあるでしょう。あのお金、どうしたの？」

母にお金がないはずはないと確信している凛子は、さらにお金をせびろうとしているのだと考えていた。

電話は一向に鳴り止まないどころか、次第にエスカレートして凛子を脅す。毎朝七時前後、挨拶代わりに必ずかかってきた。凛子が出るやいなや、いきなり「金！　持って来い！」の怒鳴り声が、受話器を通して飛んできたかと思うと、次の瞬間「ガチャン！」。叩きつけるように電話の切れる音が響くのだ。

毎朝、毎朝決まって鳴る電話のベル──。この電話攻勢に凛子は、精神的に追い詰められていき、いつしか体が過敏に反応して震え出すようになっていた。

そんなある日の夜、母のスナック「おふくろの味 吟」で働いている黒岩文子から、吟が手首を切って自殺しようとした、と電話で伝えてきた。

咄嗟に凛子は、私にお金を出させるための「狂言自殺」だと直感し、うんざりしながら知らせを聞いた。

それでも様子を見に行かないわけにはいかない。逡巡する凛子に、真夜中の電話に気付いて起きて来た息子の壮太郎が、「お母さんが行って気分が悪くなるといけないから、僕がおばあちゃんの所に行ってくるよ」と、状況を察して出掛けて行った。

その壮太郎が戻って来たのは、日付が替わり午前二時前後だった。

寝ることなく帰りを待っていた凛子が「どうだった?」と聞くより早く、壮太郎は「おばあちゃんは騒いでいて、人の言うことを全然聞かなくてね。だから僕が無理やりおんぶして車に乗せて、夜間の緊急病院に連れて行ってきた」と言って、吟の様子を説明した。また自傷の程度についても、凛子を気遣うように簡潔に教えてくれた。「切ったのは左手首だったけれど、傷口を縫って処置してもらったから大丈夫、心配ないそうだよ」。

報告を聞きながら、見違えるほど頼もしくなった壮太郎の姿に凛子は、思わず神様に感謝せざるを得なかった。

こうした騒ぎを起こした後も吟の〝電話攻勢〟は途切れることはなく、その合間に文子からの電話もかかってきていた。

文子の話によると、吟は店で自分の手首に巻かれた包帯を見せびらかすように来る客、来る客、誰彼なしに「私、自殺未遂したのよ」って、さも得意そうにしゃべっているというのだ。

凛子は呆れ返った。自殺を図ったことを自慢げに話す人間なんて、どこをどう探したらいるというのか。一体どういうつもりでしゃべくっているのか、あらためて吟の精神性を疑うものの、それは理解の範疇を超えた奇行でしかなかった。


弟の雄一が久し振りに凛子を訪ねて来た。長く勤めていたカメラ店を辞めてからというもの、弟は仕事を転々と変えている。

「車が壊れてしまったけど、お金がないので買い替えることもできなくて困っているんだよ」。口ぶりから借金を抱えている様子が見て取れたが、凛子はあえてそれには触れなかった。

昔から凛子は、姉として弟の面倒を事あるごとによく見てきた。生活費にはじまって商売の借金やらマンションの借入金まで肩代わりして完済した。近いところでは、そのマンションの雄一名義の部屋を五〇〇万円で買い取ってあげている。

こうして変な出費を重ねている凛子だが、これまでのように、弟が困っているからといって、お金を右から左へと工面できる状況になかった。しかし、須坂市にある妻幸子の実家に住んでいる弟にしてみれば、車がなければ何事も始まらないのも事実だった。

車か、車ねえ……⁉　何かいい方法はと思案する凛子は、あるタクシー会社の社長のことを思いついた。

「社長さんの所に動くけど使わなくなった車はないかしら？　弟の車が壊れてしまって、無料でもらえる車を探しているのよ」。自分でも厚かましいと思いながらも、ダメ元で電話を入れた。

「あるぞ！」。その社長は二つ返事で、乗用車一台を提供してくれたのだ。

それから半年ほど過ぎたころ、凛子は弟の妻幸子から「雄一さんがここしばらく家に帰ってこなくて、連絡も取れないんです」と相談された。

雄一が帰宅しなくなってすでに五日が経っているという。凛子はにわかに心がざわめき立ったが、直ちに行動を起こすには時間が遅過ぎた。このため明朝早く幸子の実家に向かい、それから一緒に捜すことにした。

弟の仕事がない状態は二か月ほど続いているそうで、当然この間の生活費は一銭も家に入れていない。幸子は「昔住んでいた土浦に仕事を探しに行っているかもしれない」と希望的観測を口にするが、それなら連絡ぐらいあるはずだと凛子は思う。

さらに幸子は、サラ金からの電話が毎日のようにかかってくる、と言って嘆いているが、凛子は、弟がサラ金に追い詰められて家に帰れず、自殺でも考えられたら方が大変だと心配になっていた。

何日も帰ってこない状況などから察して、立ち回る先を〝推理〟した凛子は、最近各地に施設ができてブームとなっている「日帰り温泉」に当たりを付けて捜し始めた。近隣の入浴施設を片端から回ったが空振り、時間ばかりが過ぎる。がっくりする二人にどっと疲れが襲ってきた。

この日の捜索を半ば諦めて家に戻る途中、最後に立ち寄った地元、須坂市にある入浴施設。それはまるで「ドラマ」のような展開だった。

施設の駐車場に雄一の車を発見したのだ。凛子が頼み込んでタクシー会社の社長からもらってあげた、あの乗用車が止まっていた。

ここにいたのか⁉　灯台下暗しだった。気が急く二人は飛び込むように館内に入り、休憩室を目がけて二階へと階段を駆け上がった。

果たして、ソファーにもたれてテレビを見ている弟雄一の後姿があった。

安堵した。一つ息を大きく吸い込み静かに吐いた凛子は、幸子と顔を見合わせながら後ろから近づき、弟の肩にそっと手を置いた。ビクッとして振り返るように二人を見上げた雄一は、驚きのあまり呆けた表情のまましばらくは言葉もなかった。

「お腹空いているんじゃないの？　何が食べたい？」と凛子は穏やかに聞いた。

即座に「ステーキが食べたい」と弟は返事した。

私はお肉が食べられないので先に帰って家で待っています、と言う幸子と別れ、凛子は二人でレストランに向かった。弟は余程お腹が空いていたとみえて、それこそがっついてステーキを頬張った。そんな姿を前に、詳しい話は明日聞くことにした凛子は、ホッと胸を撫で下ろしながら長野市の自宅へと戻った。

翌日、幸子の実家で三人は話し合いを持った。

どうしてこんなことになったのか—。第三者の凛子が雄一を質した。

雄一は、須坂市の臥竜公園で「車中泊」していたという。夏とはいえ、ガソリンを節約するため、一晩中エンジンをかけてクーラーを入れっ放しにするわけにもいかず、窓を開けていたせいで蚊に刺されるなど大変な目に遭ったようだ。

雄一がこうまでして家を空けなければならなかった理由を尋ねると、就職先がなかなか見つからなかったことに加えて、ひっきりなしにかかってくるサラ金からの催促電話で、嫌な思いをさせてしまっている妻の幸子に「合わせる顔がなかった」からだという。

どうして仕事をそんなに転々と変えるのかと、凛子に言われた雄一は、勤める職場、職場にサラ金の「督促電話」があっていづらくなり、仕事を変えざるを得なかったとし、「現在、借りている金額はまとめて七五〇万円ほど」と打ち明けた。

サラ金の話が出た途端、幸子が怒りに満ちた表情で「私は雄一さんと別れたい！」と叫ぶように言い出した。

「ちょっと、幸ちゃん！」。いきなり「別れたい」とした幸子の切り口上に、真っ先に反応したのが凛子だった。「幸ちゃんは、雄一と結婚してどのくらい経つの？」。

責める口調の凛子に歯向かうように、幸子は言葉を繋いだ。

「生活費はもう二か月も入れてもらっていないし、私は体が弱いから不安でしょうがないんです。額は少ないけれど生活保護を受ければ、今より少しは安定した生活が送れるから……私、雄一さんと別れたいです」

「ねえ、幸ちゃん。あなたはこれまでパートにも出ずに、ずっと雄一の給料だけで生活してきたでしょ。給料がなくなって二か月だということだけど、これがもし雄一が急病で二か月入院したとして、生活費がもらえなくなったからといって、あなたは離婚するの?」凛子は諌めた。

結婚以来、専業主婦として働かずに夫の給料だけで暮らしてきたことを指摘された幸子は、明らかに敵意に満ちた目を凛子に向ける。

当の雄一は、非は自分にあるとの思いが強いせいか、妻に愛想を尽かされても仕方ないといった感じで、諦めの表情を浮かべて何も言わない。

膠着した空気を破るように、凛子は決然とした態度を示した。

「雄一は確かに悪い。けれど別れるなんてとんでもない。私は離婚なんか絶対に認めないから!」

怒りに任せて口走った「別れる」は、幸子の本心ではなかったのだろう。最後には強くたしなめた凛子に従い翻意した。

だが、今すぐに解決しなければならない問題は、目の前にある借金をどうするかだった。思案の末に凛子が「この際、もうこうするしかないでしょう」と言って、やおら提案した解決策が「自己破産」という選択肢だった。

雄一夫婦もこれに同意したことから、凛子が弁護士より司法書士に依頼した方が費用は安く済むなどと助言する中、今後の進め方を具体的に話し合った。

凛子は後日、妹の由美子にこうした一連の経緯を説明した。

すると由美子は「自己破産もやむを得ないわね」と軽く受け流すように言った。「私には関係のないことだから、手続きや費用の方もお姉ちゃんが面倒見てやって。よろしくね」。

他人事のような口ぶりに凛子は道理を説くように返す。

「えっ、なぜ私だけが面倒を見なければならないの？　あなただって雄一のきょうだいでしょ。今回はあなたと私、二人で費用を出し合うべきじゃないの？」

そんな余裕はないなどと言っていた由美子も結局は納得して、費用を二人で折半して負担することになった。

そして破産手続きを始めると、サラ金からの矢のような催促は嘘のようにピタッと止んだ。

後日、煩雑な手続きを経て雄一の「自己破産」が認められた。

忘れもしない、それは平成十七年の「ゴールデンウイーク」只中の五月一日だった。

午前七時半ごろ、凛子の自宅玄関のチャイムが鳴った。

連休中なのに朝から誰かしら？　凛子は外の様子をうかがうようにドアを開けると、そこに見知らぬ二人の警察官が立っていた。

「何でしょうか？」。怪訝な表情で尋ねる凛子に、警察官は事務的な口調とは裏腹に妙なことを言った。

「お宅が管理しているマンションの『コーポウエストハーバー』二階にある部屋のベランダで人が亡くなっているので、立ち会ってほしいのですが……」

「えっ⁉」。凛子は要領も得ないまま息子の壮太郎と一緒に、警察官の後に付いて自宅ビルから道路を隔てて一、二分の所にあるマンションへと向かった。

すでにそこには何人もの警察官が慌ただしく動き回っていた。緊迫した異様な雰囲気に気圧されて立ち尽くす凛子と壮太郎に、一緒に来た警察官が「現場はこちらです」と言って先導する。

案内されるまま階段を上がり二階の〝現場〟へと向かう凛子は戦慄を覚えた。「まさか、お母ちゃんの部屋⁉」。

まさに、そこは母吟が居住する一室だった。

「あそこです」。部屋に入った警察官が指差した。

その指先を辿って凛子は視線を向ける。ベランダのフェンス外側にぶら下がっているような人の後姿が見えた。

カメラがズームインするように凛子の眼球は、見覚えのある後頭部、その後頭部辺りのフェンスの縦棒を掴む右手をフォーカスし、なぜか目に焼き付けるがごとくクローズアップする。

凛子は息をのむ。次の瞬間、心臓がドクンと波打った。

「うそっ！　お母ちゃん⁉」

縦棒を握りしめる右手の薬指にはまっている緑色をした指輪——。まさしく母のモノだと確信した。

母の吟は、フェンスに掛けた紐を使い、外側に体を投げ出す格好で首を吊って死んでいたのだ。

凛子は、全身から血の気が引いていくのがはっきりと分かった。

妹の由美子と弟の雄一に連絡しながら凛子は、悲嘆するよりも先に心の中で、意外な言葉を何度も何度も繰り返しつぶやいていた。

「お母ちゃん。あなたは何て凄い人なの！　何て強い人なの！」

「自死」を礼賛するつもりはまったくない。何回か自殺を考えながら〝完遂〟できなかった自身と比較して、本当に自殺を遂げてしまう一種独特の「強さ」を内に秘めた吟という、その一人の人間を凛子は見ていたのだ。

「ゴールデンウイークで昨日、一昨日とお母ちゃんが家に泊まりに来ていたのよ」。凛子からの知らせを受けて息せき切って駆けつけた由美子は、こう言いながら泣き崩れた。

「そのとき、お母ちゃんには『ここで、お前と一緒に住んでもいいかい?』って言われたけれど、私は『こんなに働いているのに、今お母ちゃんに来られたら仕事ができなくなっちゃうでしょ』って、断ってしまったの」

聞くところによると、母は由美子に「お前の所で一緒に住まわせてほしい」と、日ごろから口にしていたそうだ。

そして昨日、母が帰った後、玄関の床に落としたように置かれた茶封筒を由美子が見つけた。何だろうと思って開けてみると、そこには母の字で「部屋の電気代や水道代などを、これで支払ってください」と書かれた便箋に添えて、現金二万円が入っていたという。

このことから推測して、母は妹の家に二泊して帰る際にはすでに自殺を決めていた、と凛子は思った。だとすれば、以前に手首を切ったことも狂言ではなかったということなのか?

会社でいう事務連絡のような書付が「遺書」となってしまった茶封筒を握りしめる由美子は、母の自殺は一緒に住むことを拒んだ私のせいだと号泣し、自分を責めた。

確かに母は、昔から妹由美子の言うことならどんなことでも一も二もなく聞き入れ、逆に凛子の話には聞く耳を持たなかった。また誰彼となく凛子の悪口を言いふらす一方で、妹の由美子を褒めちぎった。

これほど大切にしていた由美子から「一緒には住めない」と言われたことは、母にとって大きなショックには違いなかった。だとしても、凜子にはそれだけが自殺の原因とは到底思えなかった。

現場から収容された母の遺体は、いったん警察署に搬送されることになった。付き添う凜子の目の前をメーデーの街頭デモが、何事もなかったように賑やかに通り過ぎて行った。

しばらくして〝事件性〟はないとして、母吟の遺体が戻された。

葬儀に向けた準備が慌ただしく始まる中で、残されたきょうだい三人が話し合い、喪主は男の雄一ではなく「割烹陣屋」の跡を継いだ凜子が務めることになった。

自殺する直前まで「金、持って来い！」などと脅され、裏切られたりいじめられたりした凜子だが、子どものころから母に対する思慕の情は人一倍強かった。

幼心にも一体どうしたら自分の方を向いてくれるのか懸命に考え、喜んでもらいたい、認めてもらいたい、その一心だった。そしてこれまで理不尽極まりない母の要求に、騙されてもなお全てに応え、ただひたすら尽くしてきたのだ。

こうした凜子との確執を除けば、母はいつも大勢の人たちに囲まれ華やかなことが大好きだったし、立派な女将として世間的な評価も高かった。

凜子は盛大に最期を飾ってあげることが、母に対する「最後の親孝行」と考えて、葬祭センターで執り行う葬儀は、グレードの一番高い祭壇を用意した。

葬儀にはとても大勢の人たちが参列し、母の交際範囲の広さをあらためて見せつけられた思いだった。その一方で、生前あれほど家や店に入り浸り、母から金銭を搾り取っていた〝詐欺グループ〟とおぼしき人たちは、誰一人として焼香に姿を現さなかった。

それでも凜子は喪主として大いに面目を施すと同時に、「母への最後のご奉公ができた」満足感もあった。

だがホッとする間もなく仏壇やお墓の建立など、喪主としてやることがまだ多く残され、事後処理に全エネルギーを費やさなければならなかった。

何かに追い立てられるような時は過ぎ、凜子はわが身を見舞った〝悲劇〟を冷静に受け止めていた。

母親の「自死」という現実を突きつけられても、なお悔いるところはなかった。そこには、これまでやれるだけのことはやったという自負心があったからに他ならない。

さらに、ありていに言えば、親を亡くした悲しみよりも、母の吟から解放された感の方が強かった。母から脅かされ落ち着かない毎日に悩まされ続けた。こうした心痛の元凶こそが「母親の存在」という皮肉さが、凛子の日常を重く支配していたのだ。

「お母ちゃんは、やっと私に『子孝行』してくれた……」

静穏な日々を得た凛子は、ようやく心の安寧を保てるようになっていた。

それにしても母吟の突然の自殺は解せなかった。直接結びつく理由がどうにも分からない。靴底にへばり付いたガムのように、合点のいかない苛立ちが凛子に付きまとっている。

もちろん考えられる遠因はなくもない。吟は去年、手首を切って自殺未遂を起こしている。壮太郎が病院に運んだ経緯は現実にあるが、あのときの凛子は「狂言に違いない」とあまり気にも留めなかった。事実、吟はしばらくの間、悪びれることもなく店の客に「私、自殺未遂したの」などと、自慢気に吹聴していたぐらいだ。その本気度から推して直接的な〝兆候〟とは捉えにくい。

このほかの事として以前の話になるが、いとこの光恵姉から「叔母さんは『これ以上、年を取るのは嫌だから死んでしまいたい』と言っていたわよ」と聞いたこともあった。当時、さほど切実な問題とは考えてはいなかったが、案外、老後の行く末に抱いた不安は深刻だったのかもしれない。

凛子には何となく思い当たる節がある。母吟の遺産相続に関して「家族会議」を開いたときのことだ。

母の老後を誰が見るかという話になり、当然の帰結で凛子が進んで面倒を見ると言った。だが吟は、即座に「お前なんかと一緒に住めば、私は殺されるわ！」と拒絶したのだ。

凛子が思うに、娘をライバル視して嫉妬心に駆られた母は、数限りない仕打ちで私に辛く当たってきたことを自覚している。だからこそ自身の老後を託したが最後、どれほどの仕返しが待っているか分からないとでも、思っていたのだろうか。

「凛子が私を許すはずはない」。母が勝手に先回りして思い込んでいたとしても不思議ではなかった。「凛子に殺される」は、こうした「恐れ」から出た言葉に違いないと凛子は確信している。

喧嘩しながらでも凛子は、その後もずっと「いずれ具合が悪くなったら、私がお母ちゃんの面倒を見るからね」と、事あるごとに言ってきた。しかしこれまでの母娘を巡る因果を思えば、吟にはとても凛子の言葉を額面どおり受け取ることも、信じることもできなかったのではないだろうか。

そして、あれほど強かった吟も年には勝てなかったのだろう。いつしか心細さを感じ、誰かと一緒に住みたいと思い始めていたのかもしれなかった。にもかかわらず吟は、最後まで凛子を頼ろうとはしなかった。いや、できなかった。

こうして母吟は、自身の老後の選択肢を自ら閉ざし、ついに娘凛子の真意に辿り着くことができなかったのだ。

母吟、八十四年の人生だった。


今回の自殺にどのような関わりを持つのか持たないのか定かでないが、凛子は母の吟に対してどうしても腑に落ちない疑念を抱いている。

それは金銭問題――。

母は手元に大金があったとしても常に「金がない」「金を持ってこい」など、自殺前日まで言う強欲の人だから絶対に何百万円かの現金を隠し持っているはず、だと凛子は信じて疑わなかった。

根拠がある。これまでも凛子は「母の老後のためになるなら」と、何回か八ケタのまとまったお金を融通している。さらについ二年前にも、「この先、母が寂しい思いをしないために」と思い、実に一五〇〇万円もの大金を渡していたからだ。「母は財産持ち」と考えたとしても、あながちゲスの勘繰りとも言えなかった。

このため後々、変に疑われたくないと思った凛子は、一時安置される母の遺体と一緒に向かった警察署から戻るとすぐに、妹と弟を呼んで言った。

「あなたたち二人で、これからお母ちゃんの部屋に行ってお金や通帳、貴金属など遺品を探してきてちょうだい」

すでに家族の話し合いで、母の遺産のほとんどを凛子が相続することになっていた。だが妹にしろ、昔から面倒をみてきた弟にしても、母に〝洗脳〟されて、凛子にどこか懐疑的な節が読み取れた。

だからこそ、凛子は念を押すように言い添えたのだ。「私は、あなたたちに『凛子姉ちゃんが取った』とか言われるのが嫌だから、お母ちゃんの部屋に入らないことにするわ」と。

二人は早速、母の部屋に入って行った。

もし現金が見つかったら自己破産している弟の雄一に「五〇〇〇万円ぐらいはあげよう」と凛子は考えていた。しかし、しばらくして母の部屋から出て来た二人が手にしていたのは、四冊の預金通帳と数個の指輪だけ。「現金はまったくなかった」と声を揃えた。

通帳を開いた三人は言葉を失うほど驚いた。通帳に記載された残高は一番多いので二三〇〇円、あとの三冊はいずれも数百円だったのだ。

お母ちゃんは、本当にお金がなかったんだ……。凛子は複雑だった。あれほどの大金を、どこでどうやって使ってしまったのだろうか？　考えるに凛子はあることに思い至る。

「あいつらだ！　あの連中に違いない！」。母の所に入り浸っていた詐欺のグループだ。甘言を弄して近づき、子ども騙しのように総菜パンや食べ物など、母が好む物を手土産にほぼ毎日、茶飲み話の相手になっていた。さらに「おふくろの味 吟」にも年中通い、目いっぱいおだてて母の信頼を得る手口を駆使していた。

母は母でまんまと引っ掛かる。一人せいぜい三五〇〇円程度の売り上げの彼らを「上客」として、ありがたがっていたのだ。

母を騙して金を巻き上げようとする魂胆が見え見えだった。だから凛子は、早い段階から連中との付き合いを止めるよう母を諫めていた。しかしその都度、母は激怒。忠告を聞き入れないばかりか、凛子の悪口を誰彼構わず吹聴して歩く始末だった。

結局、手形の割引を巡って連中の口車に乗って「詐欺事件」の共犯になる、すんでのところで気付いた凛子が、三〇〇万円を尻拭いして事なきを得た。

この一件で、母は自分が仕出かしたことの重大性に恐怖した。そして猛省したのだが、今にして思えば母が与（くみ）した「手形詐欺」は、これだけではなかったに違いない。

母の性格からして、凛子はこんな顛末を思い描いた。

──自分が騙されていることに気付いた母が、得意とする口先で彼らを操り、損した分を取り返そうとした。だがしかし、ミイラ取りがミイラになるように、逆に深みにはまり抜け出せなくなったのではないだろうか、と。

もう何年も前の話になるのだが、凛子が思い出した不可解な出来事が一つあった。

ある建設会社の社長から、いきなり「お母さんが、権堂のパチンコ店を一億円で買ったそうですね」と言われ、凛子は大いに困惑した覚えがある。

「そんなことはあり得ないわ。何かの聞き違いじゃないの」。否定する凛子に、社長は確信に満ちた表情で言った。「間違いないですよ。お母さんから何かの書類も見せてもらいましたからね」。

それでも凛子はあまりにも突飛なバカバカしい話だとして、これ以上は取り合わなかった。ところが後になって、この絵空事のような「パチンコ店を買う話」は本当だったことが分かる。

最終的に買い取るまでには至らなかったが、母の吟は例の詐欺グループに一五〇〇万円を含め最後の最後まで金を搾り取られ、一文なしにさせられた可能性が高かった。

そうでなければ、いくらお金に執着心が強かったとしても、あれほど「金、金」と、しょっちゅう騒ぎ立てることはなかったはずだ。さらに凛子は、「金がない！」「金を持ってこい！」などと電話口でがなる吟に、ある種鬼気迫るものを感じた覚えがあった。

どのようなことが起きていたのか、今となれば知る由もないが「詐欺グループの奴らから余程脅されていた」のではないだろうか。

こう思いを巡らすとき、凛子は悔しくて歯ぎしりするほどだったが、全ては過ぎ去ったこと。業がもたらしたとはいえ、母の吟が哀れに思えてならなかった。

挙句の果てに「お母ちゃんの最後は、私が面倒を見る」と言い続ける凛子を頑なに拒絶した手前、もはや打ち明けることもできずに行き場を失い、「自死」を選んだのかもしれない。もっとも凛子に頼ったからとしても、老後を大人しく過ごすことなどできる人ではなかった。

どちらにしても、「自分のしたことが、全て自分に戻ってくる」のが世の習いと言うならば、凛子は吟の最後の姿に「因果応報」を見た気がした。

凛子は、母吟の部屋をリニューアルすることを決め、弟の雄一に手伝ってもらいながら後片付けを本格的に始めていた。

母が自殺したその日、凛子の指示で妹と弟が現金などを探した後だけに、それほど財産価値のある遺品は見当たらなかった。それでも諸々のごみに交じっていろいろな所から出てきた小銭―合わせて数万円ほどと、売れば多少のお金になる物などは雄一にあげた。

そんなある日、雄一は何を思ったのか後片付けの最中に作業の手を休めて、「お母ちゃんとの思い出の中で、一番嫌だったことがあるんだよ」と切り出した。

「何⁉」。怪訝そうに振り向いた凛子は、表情で話の続きを促した。

大分前の話だけどね、と断りながら―

「お母ちゃんが飼っていたペットの犬を『どっかに捨ててきて！』って、言われたんだよ。あのときは本当に嫌だった」

「えっ！　犬って、どんな犬？　種類は？」

凛子は咄嗟に叫んだ。詰問された感じの雄一は慌てて答える。

「『チワワ』だよ」

それを聞いた凛子は、天を仰ぐように呻いた。

「やっぱり、そうか……。『チロ』だ」

凛子が銀座時代に飼っていたペットだ。今でこそ「チワワ」はスタンダードな犬種だが、当時はまだ珍しかった。

あるとき母の吟が、東京に遊びに来た折に「チロ」を〝見初め〟て、「かわいいから、もらって行く」と言い出した。凛子は「ダメよ」と断ったのだが、そこは言い出したら利かない吟、強引に長野に連れて帰ってしまった。

その後、帰省した凛子は、チロの姿が見えないことを不審に思い、「チロはどうしたの？」と尋ねた。すると吟は「チロは近所の好きなメス犬を追いかけて道路に飛び出し、車に轢かれて死んじゃったんだよ」と答えていたのだ。

凛子は長い間、その話をまともに受けて信じていたのだが、まったくのウソだったわけだ。飼うのが面倒になり、手を焼いていたのかどうか、捨てた理由は分からない。けれども「それほど嫌なら、どうして返してくれなかったのか」と、今にして思うと悔やまれてならない。ただ、雄一がチロを捨てることができず知人に託したということだけが、せめてもの救いだった。

凛子は、吟の度を超す身勝手さに呆れたり腹立たしかったりしたが、今更ながらその非情さにいたたまれなかった。

一言に「後片付け」とは言うものの、吟の部屋のそれは大変だった。弟の応援を得たとしても二人だけの作業にはそれなりの日時を要した。それでも備え付けの家具や洗面台などを除き隅々まで整理し終えて、リニューアルの作業を何とか業者に引き継ぐことができた。

こうした中で凛子は、気持ちを暗くさせる一つの〝遺品〟を見つけてしまった。それは母吟の浅ましさを物語る貴金属だった。

昔、東京の美人喫茶で働いていたころに知り合った男子大学生が、凛子に好意を寄せていた。実家が新宿の四谷でガソリンスタンドを経営しているその彼から、祖母のかんざしで作ったという丸い翡翠の指輪をプレゼントされた。初めて男性から贈られた大きくて立派な宝石で、凛子はとても大切にしていた。

ところが、その指輪がいつしか消えたようになくなり、どこを探しても見つからなかった。それが今回、何十年かぶりに吟の部屋の片隅から出てきたのだ。

凛子はこれまで一度として吟が、この大きな翡翠の指輪をしているところを見たことはなかった。凛子の前では意識してはめなかったに違いない。

娘の宝石箱から母が盗んでいたことは明らかで、疑いようもなかった。

凛子は小さいころから吟によく「お前の父親は盗み癖があった」とか、「お前は父親にそっくりだよ」と言われ蔑(さげす)まれてきた。

吟が憎々しげに何かと引き合いに出す「父親」のことを、凛子は何ひとつ知らない。生まれて二か月で両親が離婚しているのだから当たり前の話で、写真ですら実父を見たことはなかった。だが凛子は、心の中に姿かたちは及ばずその性格を含め、自身に重ねた「優しい父親像」をいつしか作り上げていた。

親戚の話では、戦後の食糧難の時代、父は母のために勤め先からジャガイモやニンジンなどの野菜を黙って持ち出していたことがあったという。吟はこれをもって「盗み癖」と非難しているのだ。

終戦直後で食料もまともに手に入らない当時の社会情勢からすれば、父の行為は即座に犯罪と決めつけることはできないだろう。むしろ凛子を身ごもっていた吟への愛情や優しさではなかったのかと、凛子は理解する。それなのに父を「盗人」呼ばわりする母の吟が、実のところ娘から宝石を盗んでいたのだ。その性根の悪さには、今更ながらげんなりする。

これまで凛子は、精神的、肉体的にも今で言う「虐待」を繰り返し受け、養父を含めて親らしいことは何一つしてもらえなかった。

だが今にしてみれば、よくひねくれもせずに多感な思春期を乗り越え、真っ直ぐな心を曲げることもなく育めたと思う。

凛子には、母を亡くしてより強く感じるようになったことがある。嫌なことがあってもすぐに忘れてしまう凛子は、かつて騙され裏切られた相手にも、泣きつかれたり頼られたりすると嘘と分かっていても断れず、つい手を差し伸べてしまう。だから繰り返し同じ轍(てつ)を踏む結果として、悔しい思いをしたことも枚挙に暇がない。

だが、凛子自身こうした「損な性格」も嫌いではない。他人から見れば「バカ」みたいに映る人の良さや、素直で優しすぎるといった性格こそが、父親から引き継がれた「DNA」ではなかろうか——。

凛子は実父の血筋に気付いたのだ。

「父親の性格に似ていて本当に良かったなあ」と心底思う半面で、「本当に母親似でなくて良かった……」。会ったことも見たこともない父親に、心から感謝する凛子がそこにいるのだ。

凛子は「中園家」の墓を建立した。

しかし母吟の納骨の日が近づくにつれて、凛子は憂鬱さを増していた。

「自分が死んだ時、母と同じ墓に入ることは絶対に嫌だ。死んでまで、母にイジコジされたくないわ!」

心に宿った〝忌避の念〟は如何ともし難かった。

お墓の中に仕切りでも作るとかして、とにかく〝同室〟だけは避けたかった凛子は、思い切って菩提寺住職の夫人に知恵を借りることにした。

身内の恥を晒すようで嫌だったが、そんなことは言っていられないほど凛子には切実な問題だった。

凛子の相談を聞き終えた夫人は「それならばね」と言って、妙案を伝授してくれた。

「お母さんのお骨を、さらしの袋に入れて納骨したらどうですか？　そしたらお骨どうしが触れ合わないで済むのではないかしら」

なるほど、と得心した。凛子は早速さらしを買ってきて袋を作った。

こうして迎えた「四十九日法要」の日――。

凛子は予定どおり、母吟の遺骨を自分が縫ったさらしの袋にあらかじめ入れ、骨壺に納めて菩提寺へと赴いた。

法要は滞りなく進み、住職をはじめ親戚一同は納骨のために本堂裏手の墓地へと向かった。凛子の手で建立されたばかりの真新しい墓に向き合うように皆が整列した。

墓石の前にある板状の拝石をずらすと、その下には穴のように四角に掘られた遺骨を納める場所があった。「土に還る」ことを意味するのか、底は土のままになっていた。

それを正面で見定めた住職は、おもむろに骨壺からさらしの袋を取り出した。そして次の瞬間、袋のまま納骨されるものとばかり思い込んでいた凛子は、「あっ」と心が引きつる光景を目の当たりにしたのだ。

何と住職は散骨するように、袋の口を開けて中から吟の遺骨をぱらぱらと撒き入れてしまったのだ。

たぶん住職は夫人から何も聞いていなかったのだろう。か、といって親戚縁者が墓石に向かって手を合わせているその最中、事が事だけにいくら喪主といえども「それは違うのよ、お骨を袋に戻して！」とは言えない。

ただただ呆然とする凛子を住職の読経が通り過ぎる。墓に蓋をするように拝石が元に戻された。

第十九章　日常、されどわが日々

ある意味、不謹慎なのかもしれない。今の凛子は、母吟の自死によって諸々の呪縛から解き放たれている。長くて暗いトンネルを抜けたような開放感を得て、息子の壮太郎と二人の平穏な日々を送り始めていた。

静岡の浜松医療専門学校を卒業した壮太郎は、母凛子のためを思い長野市に戻り「柔道整復師」「鍼灸師」として、家から歩いて通える治療院に勤めた。その二年後に市内の医療専門学校から誘われ同治療院勤務を経て、現在は自身で開業している。

息子の食事の用意をして家事をこなすなど、凛子は初めて専業主婦ならぬ「専業お母さん」の役割をしっかりと果たしている。夜は親子水入らずの団欒の寛ぎのひと時を過ごす中で、何とも言えない幸福感にゆったり浸って一日を終える。

こうした親子二人だけの「最小家族」が、凛子にとって何物にも代えがたい「宝物」となっていた。

病気などにはならない方がいいに決まっている。しかし「がん」を患ったことが、凛子に第一線を退くきっかけを与えた。それは「天職」とは言え、あまりにハードだった仕事からの解放を意味していた。結果、凛子に平穏な日常をもたらしたのだ。

現在は不動産賃貸業を営んでいるが、さほど物件があるわけではない。「割烹陣屋」や「くらぶ凛子」を経営していたころとは比べるべくもなく、収入に雲泥の差がある。だが、お金では買えない心の豊かさと安らぎの中で、「平凡な日々の幸福感」に包まれている。

東京の東阪医療大学病院を退院してから二、三年後に凛子は、かねがね赤石克也が行きたがっていた中国旅行に二度招待した。

赤石は入院中の凛子をほぼ毎日見舞い、ずっと静かに寄り添って献身的に身の回りの世話をしてくれた。中国旅行は、そうしたことへの感謝の証でもあり恩返しでもあった。

これ以外にも、すっかり年老いた〝同居人〟五十嵐信子も引き連れて、毎年二回ほど三人で信州の温泉巡りを楽しんでいた。

しかし実のところ赤石は、病で何度も入退院を繰り返していたのだ。その都度、凛子は見舞いに行ったりしていたのだが、東日本大震災が発生した平成二十三年、赤石はついに帰らぬ人となってしまった。

バルブ経済の崩壊で会社を倒産させて無一文になるなど赤石は、どちらかと言えば不器用な会社経営者だったが、公言どおり凛子を「銀座ナンバーワン」に引き立ててくれた恩人だった。

長野に戻った後、関係を断つ際に凛子は言い出せなくて一時逃げ回ったこともあったが、それからも赤石とは「親戚のおじさん」のような気持ちで、付かず離れずの付き合いを続けてきた。

こうした中でもたらされた赤石の訃報――。

凛子は彼の息子が住んでいる埼玉県浦和市で営まれた「家族葬」に列席した。

祭壇で微笑む赤石の遺影に、走馬灯のように次から次へとよみがえる在りし日を重ねる凛子は、心の底から感謝して最期の別れを告げた。


平成二十四年、高さ六三四メートルを誇る世界一の電波塔「東京スカイツリー」が完成した。かつて店の更衣室だった半地下にある八畳間に住まわせている五十嵐信子は、この年にはすでに八十六歳と年を重ねていた。

信子は、相変わらず凛子の自宅がある三階まで階段を上がって来て、朝食を共にしていた。しかし年齢には勝てず、これまで辛うじて手伝ってくれていた部屋の掃除も満足にできなくなっていた。

そんなある日の寒い朝だった。いつものように信子が食事をしに来た。信子を招じ入れた凛子は、室内に黒くてコロッとしたモノが落ちているのに気が付いた。

あれっ、ゴキブリの死骸⁉ 凛子はティッシュを持って取ろうとすると、それは何と糞だったのだ。びっくりして辺りに目を走らすと、信子の通った跡には点々と同じモノが転がっているではないか。

信子の脱糞を直感した凛子は叫んだ。

「信子ちゃん！　そこを動かないで、そのままじっとしていて！」

固まったように立ち止まる信子に注意深く近づいてみると、羽織っているカーディガンの裾にウンチが幾つも絡みついている。

ひっくり返るほど驚いた。「信子ちゃんのウンチが部屋の中にころころ落ちているし、カーディガンにも付いているよ。このままじゃ駄目だから着替えてきて！」。こう言って凛子は、いったん信子を自室に帰した。

凛子は部屋の中を見て回りウンチを拾い歩いていたのだが、信子は一向に戻って来ない。結局、二時間も経ってから現れた信子はズボンを履き替えただけで、肝心のカーディガンは着替えることもなくそのまま着ていた。


信子には「認知」の症状が現れ始めていた。

このままでは自宅に呼んで食事をすることは無理だと考えた凛子は、近くのホームセンターで使い捨ての弁当箱を大量に買い込み、朝と昼の弁当を作って茶のボトルと菓子を添え、信子の部屋に毎日届けることにした。

壮太郎と同じ手作り弁当は、自家製の漬物をはじめ一〇種類ほどのおかずが定番の、それは手間暇をかけた豪華なものだった。

毎日、弁当を届けているうちに凜子はあることに気付いた。いつ行っても信子は布団の中で横になってテレビを見ているのだ。

かつてテレビの地上波がデジタル化されたとき、信子の楽しみはテレビだけだろうと気遣った凜子が、当時としては比較的大きい32型の地デジ対応テレビに買い替えた。それが今ではアダになっているみたいで、信子は一日中テレビの前から動こうとはしない。

数年前から信子は立ったり座ったりするのが辛くなっていた。このため凜子は朝食を一緒に取ることにして、リハビリを兼ねて三階の自宅まで階段を上がって来るように言い、散歩や夕食の買い物にも意識して連れ出すようにしていたのだった。

日常生活の中でもできるだけ体を使うように信子を仕向け、「なるべく歩いて、百歳まで元気でいるのよ」と、いつも励ましていた。

ところが例の脱糞騒ぎで、こうした凜子の計画は水泡に帰してしまったのだ。体を動かす必要がなくなった信子は、布団にくるまってテレビを見るのが仕事となっている。

高齢の信子がいずれ歩けなくなるのは時間の問題だった。

そこで凜子は弁当を届けるのを止め、せめて取りに来ることぐらいはさせようとした。

三階まで階段の上り下りだけでも、足腰の衰えを多少なりとも抑えられるだろうと考えたのだ。

「毎朝八時半にお弁当を取りに来て」と伝えた。

だが認知症を患う信子にとって、朝の八時半という時間はあってないも同然だった。

「女将さん、開けて!」。玄関のドアをドンドンと叩きながら叫ぶ信子。

朝は朝でも時計の針はまだ五時半を指している。

「今、何時だと思っているの。八時半じゃないとお弁当はできないわよ」

凛子は諭すように注意するのだが、一時間もすると、自室に戻ったはずの信子の声が、再び玄関先に響く。

「女将さ～ん」

「……」

そうかと思えば一日中、弁当を取りに来ない日もあった。これも仕方ないことだと頭では分かっていても、凛子は予測不能な信子に振り回され通しだった。

凛子は数年前、年老いた信子には不自由だろうと思いトイレを和式から洋式へとリフォームした。そのトイレだが、掃除など一度もしたことがなかったのだろう、凛子が覗いてみると息が止まりそうになるほど汚れていた。

また年がら年中、炬燵で寝ている信子は夏掛け布団を敷布団代わりにして、毛布と掛け布団にくるまっている。凛子が二年に一度は買い替える夏、冬それぞれの布団一式がどこを探しても見当たらない。

さらに、よそ行きの靴をはじめ「百均」モノとはいえ、しょっちゅう買ってあげているサンダルなど一足もない。出掛けるときは決まって半長靴を履いている。

「信子ちゃんに買ったサンダルは、どこへやったの?」

凛子は尋ねるのだが、信子は横を向いてあやふやなことを言うばかりで要領を得ない。たぶん捨ててしまったのだろうと推測はできるが、布団まで捨てたとは考えられず不思議でならなかった。

そんなこんなで疲労困憊の凛子は、いよいよ他人の手を借りなければどうにもならない現実に直面していた。

凛子は町内の竹中という民生委員に相談を持ち掛けた。竹中民生委員は数年前から信子のことを気にかけてくれていて、「五十嵐さんは、お変わりありませんか?」と年に一回は、声を掛けてくれる親切な人だった。

電話で信子の状況を説明すると竹中民生委員は、早速ケアマネージャーの牧田という人と一緒に来て詳しく話を聞いてくれた。さらに後日、牧田ケアマネは長野市の職員とともに訪れて信子と面接した。

これは信子の介護度を見定めるために行うもので、同席した凛子が見守る中で日常的な〝会話〟が始まった。

現在、季節は「春」で、面接を行っている今日は「午前中」なのだが、尋ねられた信子は「秋」で「夕方」と答える。こんな具合の信子は、ほとんどの質問をまともに返せない。ちゃんと答えられたのは、自分の名前と生年月日ぐらいだった。

「要介護2」。こうして信子は「認知」の程度が認定された。

腰や膝が痛いという以外、体の方は至って健康な信子だったが、「要介護」と認められた以降は、週に二日の「デイサービス」と、同じく二度の「訪問介護」が受けられることとなった。

家族でも親戚でもない信子を介して、これまでまったく縁がなかった「老人介護」と向き合う凛子は、介護サービスのありがたみを身に染みて感じていた。

牧田ケアマネは、信子の事情に合わせた介護スケジュールを事細かく考えてくれる。その手配によるデイサービスは、送迎に始まり入浴、軽い運動、昼食に昼寝、おやつ等々至れり尽くせり。

訪問介護のヘルパーもまた、普通ならば顔を背けたくなるようなことを嫌な顔ひとつ見せるでもなく世話をしてくれて、凛子は頭の下がる思いだった。

凛子は数年前から、信子が三階に来るたびに酷い臭いを発しているのが気になっていたのだが、ヘルパーによってその発生源が信子自身の「お漏らし」であることが分かった。ヘルパーによると、尿意を催す信子はしばしばトイレに間に合わないのだという。そのお漏らしを隠そうと、濡れた下着を脱いだまま炬燵の中や箪笥の後ろに捻じ込んでいた。掃除をしていてそれらの下着を見つけたヘルパーが、きれいに洗濯をしてくれているのだった。

見かねた凛子は紙オムツを大量に買い込んで、「これを使って」と信子に渡した。だが嫌だったとみえて、凛子やヘルパーの目が届かないところでは履かなかったようだ。それが証拠に、新たに買い揃えた寝具もすぐにオシッコやウンチまみれになってしまう。布団は使い捨てではないことから、凛子は処理するのに往生した。

困り果てた凛子は、牧田ケアマネを介してショートステイを頼む。一か月に一〇日ほど預かってもらえることになり、とても助かったのだが、信子の介護は限界に達していた。

凛子はついに信子の施設への入所を希望して長野市役所に出向いた。厚生課老人福祉係からは、一か月先の会議で入所資格を審査し、条件を満たしていれば入所できる、との説明を受けると同時に、「入所は順番待ちになります」と言われた。

これに凛子は一抹の不安を覚えた。「入所が後回しされるかもしれない」懸念が頭をよぎったのだ。凛子は予防線を張るように、信子とのこれまでの経緯や窮状を切々と訴えた。

「五十嵐信子にはまったく身寄りがありません。障害を抱えて自分の食事の用意などができないことから行き掛かり上、私がずっと面倒を見てきました。でも、もう私の手にはとても負えません。ですから『彼女の面倒を見る人間がいるから、とりあえずは安心』などと考えないでください。あくまでも自力では生活できない天涯孤独の老人として、一日も早く入所できるように取り計らっていただきたいと思います」

二か月後、市役所から連絡があった。「審査に通りましたので、いつ連絡があってもすぐに入所できるように用意しておいてください」。

かくて信子は平成二十五年六月、わずかな荷物を携えて市の特別養護老人ホームに入所する。

「割烹陣屋」時代から住み込みで働き、閉店後も同居同然に暮らして実に四半世紀。そんな信子をいよいよ他人の手に委ねる——もっとも凛子も「他人」ではあったが、その日、梅雨にもかかわらず朝から爽やかな薄青い空が広がり、どこか後ろめたく重い気持ちの凛子を癒していた。

これまで生活していた八畳間と比べると老人ホームの部屋は気が滅入るほど狭く、置かれたシングルベッドの両脇約三〇チセンが信子に与えられた居住空間だった。しかし、これも致し方ない現実と諦めるしかなかった。

凛子は、この後も信子の様子を気に掛けて何度か老人ホームを訪ねたが、その都度安心の度合いを深めていった。信子は生来の人懐っこさを発揮して、もう何年も入所しているかのように、すっかり新しい環境に溶け込んでいたのだ。

「これからも、この調子で多くの仲間と仲良く暮らしていけるだろう」と凛子は、ホッと胸を撫で下ろした。

信子のいなくなった部屋は、掃除や消毒あたりではとても済まされない惨憺たるものだった。床は彼女のオシッコで腐って抜けてしまいリフォームを余儀なくされた。

凛子はただただ気の毒な信子の身の上を思い、自然と生じた同情心とか親切心とかいった「善意」に駆られて二五年もの間面倒を見てきた。それは決して生半可な覚悟で貫ける歳月ではなかった。

だが今にして思えば、なるようにはならない「老い」と「介護」という冷徹な現実を前に、「人の面倒を見る」ことの重さを痛感せずにはいられなかった。

その半面で凜子には、信子にやれるだけのことはしてあげられた、という充足した達成感もあった。だからこそ公共サービスにしっかりとバトンを渡し終え、初めて「やっと肩の荷を降ろした」と思えたのだ。

夢に促されるように、凜子はハッとして目覚めた。

一週間ほど前に梅雨が明けたばかりで、平成二十六年七月下旬のこの日も、朝からジリジリと夏本番の暑さを予感させていた。目覚まし時計以上の効果を発揮したその夢は、脳裏にハッキリと刻まれている。

若かりし凜子が、とことん好きになった右城俊―。結婚を前提に付き合い始めて長野から東京に出た二人は、しばらく同棲していたが、互いの仕事に折り合いをつけることができずに別れた。

ベッドの上に体を起こした凜子は、ビデオ再生するかのように夢の余韻を辿った。

同棲していた当時がよみがえり、右城の笑顔が凜子の頬にそっと近づき優しく抱きしめた。まるで実際と見まがうほどのリアルさだった。凜子は、いやが上にも募る右城への愛おしさを抑えることが難しかった。

凜子は元来「夢」というものをほとんどみない。なのに「夢」も「右城」も凜子の内心に忽然と出現した。

右城は最期の別れを告げに来たのだろうか――。

勝手な想像で不吉な予感に捉われてしまう凛子は、慌ててこれを打ち消そうと、自分に向かって躍起になって言い聞かせた。

「彼は確か今年で七十五歳のはず。今も元気でいるわ、きっと……ね！」


このところの凛子は、自身の来し方をしばしば思い返すようになっている。

これまでの人生を時間軸で漠然と全体像に括ると「あっ」という間のことだが、具体的な出来事を一つひとつ振り返れば、とてつもなく長い人生がそこにある。

ここまでの凛子の人生はまさに「山あり谷あり」、実にさまざまな出来事に遭遇し、そして乗り越えてきた。その都度、多くの人たちに助けられて今日があることを思い起こしては感謝するのだった。

中でも凛子と母吟の親子関係は、決して大げさではなく世間から見ても稀有だったに違いない。

凛子にとって母の吟は、子どものころから仰ぎ見る眩しいほどの魅力を放つ存在だった。

憧れ慕う母から認められたい――その一心で、凛子は吟の喜ぶことに応えようとひたすら尽くした。しかしそれは最期まで報われず、母親の愛情に飢え続けた凛子は、常にない物ねだりをしてきたのだ。

だが、母吟から得られなかった愛情の分は、周りの大勢の人たちから与えられた。「神様は愛情の分配も平等にしてくださるのかしら」と思うほどに……。

一方で凛子は「最近、お母さんに似てきたね」と、よく声を掛けられるようになった。言う側に深い意味などありはしないのだが、凛子にとって嫌な気持ちにさせられるこれ以上の言葉はなかった。

絶対に私は、あんなにきつい性格じゃあない——。吟を常に「反面教師」としてきた凛子には、「母親に似る」こと自体が一番恐ろしいことだったのだ。

お金をだまし取る、意地悪をして裏切る、嘘八百のでっち上げ話を言いふらし、そして陥れる等々、思い返すだけでも体が震えるような凛子への仕打ち。それは実の娘をライバル視するあまり、ふつふつと湧き上がる母親の「嫉妬心」のなせる業に違いなかった。

このように、例えようもない吟の醜さをたくさんぶつけられトラウマを引き摺る凛子の目にも、吟に宿る世間一般のごくごく普通の「母性」はハッキリと見えていた。しかしそれは、妹や弟に対してだけに限定した——我が子に接する慈愛に満ちた母親の姿だった。

母吟が亡くなって歳月を経るとともに凛子は、母にされた数限りない酷く辛い嫌なことを自分の中で〝風化〟させている。こうすることで母への殺伐とした心も次第に和らいでいたのだ。

――ことさら刺々しく当たる母親であったからこそ、私は独立心の強い一人の女性として成長できたし、仕事で成功を収めることもできた。そして第一線を退いた現在、穏やかな生活を手に入れることができている。もちろん生死の境をさまよう大病との引き換えではあったが、これを乗り越えられたのは強い心身を私に授けてくれた母のお陰ではないのか。

「やはり母に感謝すべきなのだ」。今となれば、凛子は素直にこう思える。

吟は紛れもなく凛子の生みの親なのだ。母吟の思い出を辿れば滲み出るように自然と涙が浮かぶ。愛憎渦巻く中、凛子の母吟への思慕の情は少しも削がれていなかった。


肺がんの手術後も凛子は、転移や再発の有無を検査するため東京の東阪医療大学病院に通った。最初は三か月ごとだった通院が、数年後には半年に一回となったものの、術後五年間は抗がん剤を服用し続けた。

この間に感染症などを患ったこともあって、身を以って体力の大切さを感じた凛子は、まず「一生懸命食べる」ことに取り組んだ。がんの転移や再発を防ぐ意味でも「食べて体力をつける」ことは重要だった。

そのせいで凛子の体はどんどんと目に見えて太り、体重は〝未知の世界〟へとうなぎ上りに増え続ける。元来、痩せ型で太りたくても太れない体質だったはずが、今ではダイエットが必須なほどの体形に〝変身〟していた。

だが、少しでも食を細くするとたちまち風邪をひいてしまう。しかも治りが遅く、気管支喘息のような症状が出て長引く。またビタミンＢ２が良く利いたが、抗がん剤の副作用でしょっちゅう口内炎ができて閉口した。

ともあれ、免疫力を高めるためにも「食事制限」などできるわけもなく、太るに任せるしかなかった。

かつての凛子はクラブに割烹に、それを天職と感じて朝から晩まで健康をいいことに体を酷使し、慢性的な睡眠不足を抱えて働き詰めに働いた。

それでも仕事に不満をもったことは一度もなかった。むしろ忙しさを張り合いに日常を受け入れてきた。その分、休日には目いっぱい遊んで英気を養うなどメリハリを付けた凛子の日々に、一分たりとも無為に過ごす時間はなかった。

若さと健康が当たり前のようにあった当時は気付かなかった。当たり前ではなくなった今、凛子にとってそれは本当に掛け替えのない「財産」であったことをあらためて思い知らされた。

取り巻く環境の激変に、凛子はたくましくも柔軟に対応していた。精神的にも好奇心とか探求心とか、生来の前向きさは健在だった。

あるとき市民講座の生徒募集欄を眺めていた凛子は、「太極拳」の文字に目を留めた。興味をそそられるままに早速応募して習い始めると、そのゆったりとした動きの中でしっかり汗をかくことに驚いた。さらに足腰に良いことを実感するなど太極拳の魅力にすっかりハマった凛子は、「準指導員」の資格を取得するほど熱中した。

若いころから大好きだった「社交ダンス」も始めた。だが習い始めてすぐにステップなど基礎がまったくなっていなかったことが分かる。クラブなどで踊っていた当時は、自己流であってもリズム感の良さから、体が勝手に流れる曲に反応し動いていただけのことだった。

このため一からスタートした凛子は、基礎を徹底的に体に覚え込ませた。ダンスの素養もあったのか、その甲斐あってめきめきと上達した。そして凛子は、発表会の舞台上で披露するダンスを指導の先生と組んでデモンストレーションするまでになった。

舞台化粧を施し「おとぎ話」に出てくる王女よろしくドレスアップ、「タンゴ」や「スローフォックストロット」を踊る凛子はオーラを放った。

さらに凛子の関心は「フラダンス」へと向く。レッスンに発表会にと、がんを乗り越えて元気にフラダンスに挑戦する凛子を、地元テレビ局が取り上げた。夕方ニュースの特集で放送されると、「テレビを見たよ」と言って、かつての馴染み客など何人かから電話があった。

こうして日々のスケジュールが立て込んでいくのだが、仕事に追われ時間に拘束されていた「現役」のころとは大きく異なり、凛子は解放されていた。日々全てが自分の時間なのだ。自由に好きなことに時間をあてがうことができる幸せを感じていた。

街に出ると昔の客にバッタリ、なんていうことが珍しくなかった。そんなとき立ち話であれ、喫茶店でお茶を飲みながらであれ、多くの人たちが口を揃えて同じようなことを凛子に言った。

「女将さん、元気になって本当に良かった。きっと生命力が強いんだね。もう一度、お店を再開しないのかい?」

これがたとえ社交辞令的な励ましだったとしても、自由な時間を存分に謳歌している今の凛子に、この環境を捨ててまで仕事に復帰する気などありはしなかった。

凛子の銀座時代は高度経済成長の真っただ中。長野に戻って「くらぶ凛子」を開店し、母吟の「割烹陣屋」を引き継いで女将に就いてからも、景気は総じて好調だった。が、その後のバブル崩壊による経済破綻など、時代は好不況の波を激しく繰り返している。また変化は経済だけに留まらない。地球環境しかり、あらゆる分野で世の中は、凛子の想像をはるかに超える速さで移り変わりっている。

将来は混沌としてまったく見通せず、今や長野で「クラブ」や「割烹」を再び始めたとしても成り立たないだろうと考えていた。

戦争の犠牲者ともいえる親の世代が戦後もたらした、あの世界を驚嘆させた「奇跡の復興」。その勢いに乗って突っ走ることができた「一番いい時代」に身を置けた幸せ――。

凛子は、それだけで十分だったのだ。

平成三十一年四月三十日をもって天皇陛下が退位され、翌五月一日から「令和」の新時代を迎えた。天皇の譲位は実に二〇二年ぶりのことだという。

凛子は大病を乗り越えた生命力を維持し、健康な体であるために始めた習い事を通じて仲間をつくり、和布での手仕事など趣味の領域を着々と広げている。自分がその都度夢中になれる何かを見つけることが、何よりも健康の秘訣だと信じられた。

また凛子には、大きな心の支えとなっていることがある。それは積立預金をして息子の壮太郎と二人で行く年に一回の海外旅行だ。

グローバルな視点と知識を幼いうちから身に付けさせようと考えた凛子は、壮太郎が三歳になるかならないころから連れ立って海外に出掛けていた。

壮太郎が社会人になってからは、旅費を二人で折半する形で海外旅行の積立を続けていて、その年毎、預金額の範囲内で行ける外国を選んでいる。

成人した息子が母親との旅行に付き合うなんていうことは結構珍しいとみえて、ツアーで一緒になる人たちからは盛んに羨ましがられる。そのたびに凛子は、「孝行息子」の存在を誇りに感じるのだ。

海外旅行自体、親子の絆を一層強めることにも役立っていた。外国の多様な文化や価値観、体験を共有することで自然に会話の機会は増え、凛子はその都度深まる壮太郎との信頼関係を肌で感じていた。

しかし、こうした中でも凛子は常に意識している胸のつかえがあった。壮太郎の父親、高宮昭二のことだ。

生まれてこの方、父親のいない環境に置いた壮太郎への申し訳なさから、その経緯をいつかは包み隠さず話さなければと思いながらも、逡巡して今日に至っている。

あえて「隠し事」と言うほどのことではないにしても、黙っていること自体、壮太郎への裏切行為みたいな負い目を感じる。またそれが次第に大きくなってきていることにも気付いていた。

「大切な話があるの……」

ある日、凛子は意を決し壮太郎と向き合った。

凛子は、物心がついたあたりから壮太郎には度々「あなたのお父さんとは『相性が合わなくて』別れたの」とだけ話していた。そして、こうした通り一遍の説明を補うように、こんな風にも言っていた。

「あなたがお父さんに会ってみたいとか、見てみたいとか思ったら、いつでもお母さんに言いなさい。そしたら会えるように手筈を整えるからね」

これ以上の細かい事情については話していなかったが、壮太郎は今日まで一度もそんなことを口にしなかった。

それなのに突然、凛子の方からあらたまって時間を取り「父親のことを話したい」なんて、言われた壮太郎はどうだろう?

「何事か」と怪訝に感じてあれこれ気を回すに決まっている。事実、身構えるような気配を漂わせていた。

「あのね、お母さんね、『自伝小説』を書いたのよ」

壮太郎の心情を慮るように凛子は努めて自然に話し始めた。

「壮太郎、お母さんはあなたを産んでから、育てている間は父親の悪口は絶対に言うまいと心に誓って、一切聞かせてこなかったでしょ。でも今度『自伝小説』に、あなたのお父さんのことも含めて記憶の限り何もかも書いたのよ。ここは小説としてではなく事実としてね。本当は聞かせたくない話もあるけれど、あなたはもう大人だし、こうして書いた以上は前もって、お父さんと別れた本当の理由を嘘偽りなく伝えておくべきだと考えたのよ」

凛子は母親としての義務を果たすように息子の壮太郎を前に、父親高宮との結婚生活の一部始終を詳細に話して聞かせる。

壮太郎の出産を巡る母親の葛藤も正直に告白した。

「この身にあなたを宿した時、高宮の不誠実な性格が遺伝してしまうのだろうかと、物凄く悩んだの。考え抜いた末に、持って生まれた性格もあるとは思うけれど、私さえしっかりしてちゃんと育てれば大丈夫、育つ環境の方が子どもに与える影響は大きいはずだと結論して、あなたを産む決心をしたのよ」

壮太郎は口を挟まないでじっと耳を傾けている。

「サンフランシスコでお父さんと過ごしていたころは、結構仲良くやっていたのよ」と、離婚を決めた際の心境を思い起こすように凛子は独白する。

「でもね、いつまた高宮が、嫌な性格をむき出しにするか分からなくて、ずっとこのまま仲良くやっていける自信はなかった。これまでのように独り身じゃないわけで、嫌になったからといって簡単に家を飛び出すわけにはいかないだろうし、年から年中喧嘩をしているのを見せながら子育てをするのは良くないに決まっているしね。ならばいっそのことお父さんと別れ、私一人で清々してあなたを慈しんで育てようと決めたのよ」

凛子は父親の悪口を言い連ねたかったわけではない。母親の責任として事実を正しく伝えておきたかっただけなのだ。

が、しかし、息子はどう感じたのか。結果として父親が晒す欠点を縷々聞かされた今、DNAを確実に引き継ぐ自身の宿命をどのように受け止めるのだろうか。

明け透けに全てを話した凛子は、ただ黙って聞き終えた壮太郎の心中を推し量り、こう〝ただし書き〟を付け加えた。

「お母さんは本を読んだ人たちから、あなたがお父さんのDNAを受け継ぐ変な性格の人間だと誤解され、好奇な目で見られることが心配なのよ。だから、嫌だったらそこは省くなり書き直すわ」

「そんなことをすれば事実と異なっちゃうでしょ。僕はそんな性格じゃないし、心配ないよ」

壮太郎は男らしく明確に否定した上で、自分の思いをぶつけるように続けた。

「僕はお父さんのことより、お母さんがそんなに嫌な苦労を重ねてきたのかと、そのことの方がショックだった。お母さんには母親役と、父親役をしてきてもらったと思っているよ。だから今まで父親が欲しいと思ったこともないし、『高宮』という人を父親と思ったこともない。僕にとってはまったくの赤の他人なんだ、『高宮』という人は……」

目を潤ませる壮太郎をまっすぐ見つめる凛子の胸のつかえは、雪解けのように溶けて涙となって流れ出た。


親子で出掛ける年に一度の海外旅行を励みに、爽やかな信州の地で豊かに移ろう自然の彩りに五感を刺激されて、凛子は暮らしている。

何人かの気が置けない友人と、時折ランチを楽しみ、おしゃべりに興じ、近況を報告し合う。また年に数回会ったり訪ねたりする親戚との親交も凛子の心を癒す。

中でも、いとこの光恵姉とは相変わらず姉妹のように仲良く互いを行き来して〝濃密〟だ。

離婚の危機を乗り越えた弟雄一と幸子夫婦は、凛子の好きな紅葉ドライブやバス旅行に誘ってくれたりして「姉思いの充実した関係性」を築いている。

その傍らに、神に感謝するほど誠実に成長した息子の壮太郎―愛する家族がいる日常がある。

だからこそ、そこに無類、飛び切りの幸福を感じつつ、これを大事に守る母親としての凛子の日々があった。

人生で一番醜いものは「嫉妬心」

人生で一番大切なのは「家族」

愛する人、愛される人、たった一人、一人いれば……「幸せ」

（小説 赤い花　下巻完）

謝　辞

七年がかりで蘇らせた私の半生です──。

平成二十四年、小学校の同窓会が催されました。実に半世紀ぶり……というのも、私が通っていた長野市立後町小学校は、長野市の中心市街地にありながら児童数が激減して統廃合の対象となり、翌年の廃校が決まっていたからでした。

ちょっぴり感傷的に時代の趨勢を受け止めながら出席した私は、何人かいた同窓会幹事の一員として司会進行の役を務めながら、懐かしい面々と旧交を温めました。これをきっかけに旧友たちとの交流が始まりました。

ある日、その中の一人で元（公財）日本バスケットボール協会の理事総務部長、事務局長の松岡憲四郎さんと互いの来し方を話していた折のことです。彼が私にこう言いました。

「あなたの珍しい体験を、箇条書きでもいいから書き留めておいたらどうですか」と。

思いもよらない言葉に触発された私は、「生きた証として書き残すのもいいかもしれない」とすっかりその気になって、幼少期からの記憶を手繰り始めたのです。

もとより文章を書く素養のなさは百も承知の上で向き合う〝執筆〟でした。案の定というべきか、冒頭にあるように書き上げるまでには七年もの歳月を費やしました。この間、当然のように「サボタージュ」とか「一時忘却」とか、挫折一歩手前の危機に何度か見舞われました。が、曲がりなりにも何とか完遂できたのは、松岡さんをはじめ中学、高校時代の同級生で親友の青木悦子（旧姓渡部）、岩崎澄代（同塚田）両ご夫妻の助言や励ましがあったからに他なりません。

時あたかも「自分史ブーム」だと耳にしました。しかし社会に大きな業績を刻む経済人や政治家、ましてや文化人でも教育者でもない私などが、と思いきや「『事実は小説よりも奇なり』ですよ、あなたの人生は」と持ち上げられ、向こう見ずにも、この度の「自伝小説」出版の運びとなった次第。しかしながら「自伝」と「小説」—自ら招いた二律背反のテーマを抱えて、日々、葛藤の連続でした。

小説だからといって自伝を創作したくはない。その一方で、諸々に想定されるあらぬ誤解や影響に思いが至る。そして、どこまで事実に沿うべきなのかと迷宮に入り込むのです。こんな私の背中を「トン」と押して出口を示してくれたのが、本書による負の印象を最も恐れた息子に弟、さらに従姉と、私のとても大切な「家族」たちでした。

「あなたたちが嫌だと思うところは削除するわ」と言う私に、こう応じてくれたのです。「実際にあったのは事実なんだから、本当のことを書けばいいじゃない」と。「小説は小説として、事実は事実として、思うところを書くわ」。私は踏ん切りをつけました。

小説の中に「私の半生」を俯瞰するとき、私の根底を成すところには常に思慕する母「可つの」が存在していたことに、あらためて気付かされます。

娘が羨望と憧れの眼差しを向ける先に、その娘に嫉妬心をたぎらせる母親がいる。この母と娘が繰り出す異様なまでの「愛憎劇」がテーマのように……。

そう、世間には到底信じてもらえぬ凄まじい親子関係の中で生き、普通に愛のある当たり前の家族の実体験を長らく持たないでいたが故に、今もなお、亡き母に愛をせがむ私の姿が重なり合うのです。

一期一会、袖振り合わせ、私の人生に実りを授けてくださった全ての人に、愛を込めて衷心より感謝するとともに、本書を母可つのに捧げます。

また小説化を提案くださった龍鳳書房の酒井春人社長をはじめスタッフの皆様には、企画、編集、出版へと至る道筋を立てていただくなど、大変ご尽力くださいました。そして、子どものころから絵が上手だった親友青木悦子さんは、とても素敵な表紙絵を提供してくれました。共にただただ深謝です。ありがとうございました。

令和三年五月吉日

高橋千恵

小説 赤い花 下巻

二〇二一年六月十日 第一刷発行

著者 高橋千恵

発行者 酒井春人

発行所 有限会社龍鳳書房
〒381-2243
長野市稲里一―五―一北沢ビル1F
電話 〇二六(二八五)九七〇一

印刷 三和印刷株式会社
製本

ISBN978-4-947697-69-1
C0093